ポスト・ヒューマニズム

テクノロジー時代の哲学入門

岡本裕一朗 Okamoto Yuichiro

はじめに

二一世紀になって、若い哲学者たちが思弁的実在論、加速主義、新実在論といった新たな思想を提唱し、社会でも認知されるようになった。日本でもすでに、雑誌や書籍などで単発的には紹介されているので、名前ぐらいは聞いたことがあるかもしれない。

しかし、それらがいったい何を目指した思想かは、十分に理解されてきただろうか。それぞれに複雑な背景や文脈を持っているため、基本的な主張でさえも意味や意図が汲み取りづらかった。そのため、相互関係や全体的な配置にいたっては、ほとんど解明されてこなかった、と言ってよい。何やらマニアックな議論のようでもあり、素人には手が出しにくかったわけである。

そこで、本書が目指したのは、初心者だとわかりづらい錯綜した連関を解きほぐし、それぞれの思想がどのような立場や観点から展開されているかを明らかにすることである。つまり、現代哲学の「思想地図」を作成することだ。

この地図を携えて、思弁的実在論、加速主義、新実在論と向き合えば、難解そうに見えて近づくのをためらっていた読者も、それほど身構える必要がなくなるはずである。これらの思想に初めて接する人はもちろん、単発的にはすでに知っているという人も、本書をぜひそのように活用していただきたい。

ところで、思弁的実在論、加速主義、新実在論を扱う本書のタイトルが、どうして「ポスト・ヒューマニズム」なのだろうか。その理由は、これらの思想が「ヒューマニズムVS.ポスト・ヒューマニズム」をめぐって、展開されてきたからである。

周知のように、「ヒューマニズム」と言えば、ルネサンスが始まった一四世紀以来の長い歴史を持ち、一般的にも広く浸透した言葉である。「人文主義」「人道主義」、あるいは「人間主義」などと訳され、それぞれ微妙に意味は異なるものの、西洋近代社会を形づくる基盤とされてきた。

だが、近年のテクノロジーの進化によって、その前提となった「人間」という概念そのものに疑問が付されている。「人間以外のもの（non-human）」「非人間（inhuman）」「反人間（anti-human）」「非人道的なもの（inhumane）」「人間以後（posthuman）」といった言葉を、さまざまなところで見かけるようになったのは、そのためである。詳しくは本書で述べるが、これらの言葉を貫いている思想的態度を「ポスト・ヒューマニズム」と呼ぶ。

結論先取的に言えば、二一世紀になって社会全体の「ポスト・ヒューマニズム的転回」が起こっている。すなわち、情報テクノロジーやバイオテクノロジーによって、人間を中心に据えた西洋近代社会が大きく揺らいでおり、こうした「ポスト・ヒューマン的状況」に対してどのような態度をとるかという問題を、現代のいかなる哲学者も避けて通れなくなったのである。

したがってポスト・ヒューマニズムという観点から、思弁的実在論、加速主義、新実在論を見渡すことができれば、一見複雑で抽象的に見えるこれらの思想の共通点や相違も、具体的な形で理解できるようになるはずである。


本書でこれから議論がどのように進んでいくのか、あらかじめ示しておきたい。

第一章では、「なぜいまポスト・ヒューマニズムなのか」を明らかにする。まずテクノロジー時代のポスト・ヒューマン的状況がどのようなものであるかを見届け、そのうえで一九世紀以降にポスト・ヒューマニズムが生まれてきた経緯を考察したい。こうして今日(こんにち)、ポスト・ヒューマニズムが重要な課題となったことを示す。

続く第二章では、「思弁的実在論」を取り扱う。これは、「インターネットから生まれた哲学」と言われるように、従来の哲学とはまったく違ったスタイルを持っている。

当初は翻訳書がまだ出揃っていなかったこともあって、思弁的実在論が全体として何を主張したものであったか、あるいはその内部でどのような対立があったか——といった事情が必ずしも明らかではなかった。しかし、登場からおよそ一〇年が過ぎたことで、よくわかるようになってきた。そこで、この思想を手掛かりにポスト・ヒューマニズムの本質を詳らかにしてみよう。

第三章では、思弁的実在論の源流であるとともに、そこからスピンアウトした「加速主義」を取り上げる。加速主義の父と称されるニック・ランドは、もともと「人間」を維持するような近代的な思想や制度を「ヒューマン・セキュリティ・システム」という言葉で批判していた。その後、学問的論文を執筆するという従来の仕事のスタイルを変えて、インターネット上で「暗黒の啓蒙」思想を発信するようになった。

彼の思想は、後述するように現代のアメリカ政治をはじめ、世界に大きな影響を与えた。また、より若い世代が「左派加速主義」を旗印に、新たな社会運動を提唱していることも注目に値する。右翼にも左翼にも広がる加速主義が、どのような思想を展開しているかを説明してみたい。

第四章で取り上げるのは「新実在論」である。提唱者のマルクス・ガブリエルは、哲学者としてはとりわけ日本で異例の人気を誇っており、インタビュー集も数多く出版されている。しかし、新実在論という思想そのものは、必ずしも十分に理解されているとは言えない。

彼の主要な著作からわかるように、新実在論の根本思想はヒューマニズムにある。すなわち、思弁的実在論や加速主義と、新実在論はいわば対極にある。とすれば、新実在論はポスト・ヒューマニズムの思想に対して、いかなる問いを突き付けるものなのだろうか。

以上を踏まえて、終章では思弁的実在論と加速主義と新実在論が、現代のテクノロジー時代において、いかなる方向を打ち出しているのか、またそこから人間の未来に対してどのような展望が描けるのか、という全体の布置を提示することにしたい。

ポスト・ヒューマニズム——テクノロジー時代の哲学入門　目次

編集協力　猪熊良子
　　　　　福田光一
ＤＴＰ　角谷　剛

第一章　ポスト・ヒューマニズムという論点

二〇世紀後半に飛躍的に進化した、情報テクノロジーやバイオテクノロジーは、私たち人間を否応なく「ポスト・ヒューマン化」しつつある。つまり、AI（人工知能）やゲノム編集によって、生物種としての人間は「進化」の岐路に立たされている。

あるいは、環境とのかかわりでは、最近「人新世」という概念が打ち出されるようになった。人間の営みがいかに地球環境や生態系に影響を与えるかということが問題視され始めているのだ。こうした前提の下でポスト・ヒューマニズムとは何かを考えることが第1節の課題である。

次に、そもそもポスト・ヒューマニズムがどのように登場してきたのかを確認しておきたい。というのも、人間を中心に据えたヒューマニズムが終焉を迎えているのは、最近になってとつぜん引き起こされた事態ではないからだ。むしろ、一九世紀末のニーチェ以来、「人間の消滅」は哲学の中で先駆的な形で論じられてきた。思想としてのポスト・ヒューマニズムは、一〇〇年以上前から提唱されていた。この点を踏まえ、第2節では「ポスト・ヒューマニズムの系譜」を簡単にたどってみたい。

また、ポスト・ヒューマニズムの思想を助長しているのが、現代のテクノロジーである。そこで第3節では、現代テクノロジーが近代のヒューマニズムを終焉させるだけでなく、数十万年続いたホモ・サピエンスの時代を終わりへと導くかもしれない理由を説明し、「テクノロジーによる人間の消滅の現実化」を概観する。

そのうえで第4節では、現代社会に浸透しているニヒリズムの感覚を敷衍しながら、ポスト・ヒューマニズムに関連する諸問題を確認しておきたい。「人間の消滅」が現実化するポスト・ヒューマン的状況において、哲学は何を考えたらいいのだろうか。

1 ポスト・ヒューマニズムとは何か

本節で課題とするのは、ポスト・ヒューマニズムとは何を意味するのかを、あらかじめ簡単に確認することである。

このとき重要なのは、テクノロジーとの関係である。二〇世紀の後半から情報テクノロジーやバイオテクノロジーによって、人間のポスト・ヒューマン化が急速に進展した。また、環境分野においては、生態学的危機が指摘され、その原因とされる「人間中心主義」からの脱却が声高に叫ばれた。こうしてヒューマニズムの超克が重要な課題になったのである。

もっとも、ヒューマニズムにしても、ポスト・ヒューマニズムにしても、多様な意味を持つ言葉である。そのため、たとえば「人間主義」「人間中心主義」「人文主義」「人道主義」などのように、文脈に応じてさまざまに使い分ける必要がある。本書では煩雑さを避けるため、いちいち「人間主義（ヒューマニズム）」のように表記することはしないが、のちの議論において、いろいろな形で「ヒューマニズム」や「ポスト・ヒューマニズム」を論じていることは、あらかじめご了解いただきたい。

近代の終わりと人間の変化

冒頭で述べたように、本書は、二一世紀になって明確な形をとりはじめたポスト・ヒューマニズムについて、手ごろな思想地図を準備するための本だ。しかし、ヒューマニズムならともかく、ポスト・ヒューマニズムなんて知らない、と言われるかもしれない。

ヒューマニズムは一四世紀のルネサンス以来、長いあいだ近代を支配してきた思想である。もともとはキリスト教とは違ったギリシア・ローマの古典的文献にもとづく、人間を中心に置いた学問運動のことを指す。当時発明された活版印刷術の普及とも相まって、流行とも呼べる広がりを見せた。

言葉としては一九世紀につくられ、「神」を中心とした中世から「人間」を中心とした時代への転換を示すものとされてきた。「人文主義」や「人道主義」と訳されている。あるいは、「人間」を尊重する思想として、文字通り「人間主義」と呼ばれることもある。それに対して、ポスト・ヒューマニズムとは何だろうか。

あらかじめ注意しておけば、ポスト・ヒューマニズムは、人の道に背く（そむ）ような反人道主義や、人間に危害を加える出来事・考えをよしとするものではない。むしろ、長いあいだ支配的だった近代のヒューマニズム――それがまさに終わりつつあることを示す思想であり、概念である。

たとえば、二〇一三年に『ポストヒューマン』を出版したロージ・ブライドッティは、その本の中で次のように述べている。

ポストヒューマンは、かつて万物の尺度であった「人間〔Man〕」が深刻に脱中心化されている可能性に対して、歓喜のみならず不安をも引き起こしているのである。人間主体についての支配的ヴィジョン、そして、それを中心に据えた学問分野、すなわち人文学（ヒューマニティーズ）が、重要性や支配力の喪失を被っているという懸念が広まっているのだ。

ルネサンス以来、「万物の尺度とされてきた『人間』」が、現代ではもはや中心的な役割を持たないだけでなく、その消滅までもテーマとなり始めている。その事態を受けとめ、ヒューマニズムに代わる新たな思想が模索されている、とブライドッティは言う。

ヒューマニズムに対して、ポスト・ヒューマニズムという言葉は一般に浸透しているとは言えない。しかし、近年の情報テクノロジーやバイオテクノロジーの革命的な発達によって、人間の在り方は大きく変わろうとしている。とすれば、これが私たちをどこへ導くのかは、問い直されるべきだろう。ポスト・ヒューマニズムが対峙しようとしているのは、まさにこの問題なのである。

とはいえ、具体的にはどのような人間の変化を想定すべきだろうか。手始めに、テクノロジーによって人間がいかなる状況に置かれているかを確認しておこう。

機械が人間を支配する

そもそもポスト・ヒューマニズムにおいて、なぜテクノロジーが問題になるかを考えるために、次の引用文を読んでいただきたい。

現在のネット化革命を通して、現代社会における人間の共生は新しい基盤の上に立たされている。現代社会が、ポスト文芸的、ポスト書簡的に（post-epistolographisch）、そしてそれゆえにポスト人文主義＝ポスト人間的に規定されていることは容易に証明できる。……学校・教養モデルとしての近代人文主義の時代は終焉した。

これは、ペーター・スローターダイクが『「人間園」の規則』において論じたものだが、必ずしも読みやすい文章とは言えない。それでも、主張のポイントは明確であろう。現代のデジタル情報通信社会の成立によって、近代の「人文主義」が終焉し、ポスト・ヒューマン的状況にいたったことが述べられている。

メディア史的に言えば、ルネサンス以降の近代社会では、活版印刷術によって可能となった書物の研究である「人文主義」と、人間を思想の中心に置く「人間主義」が展開されてきた。ところがいまや、情報テクノロジーによって、活版印刷術にもとづく「人文主義」が終わろうとしている、というわけである。

だが、事態はもっと深刻である。情報テクノロジーは、「人間主義」さえも終わらせるかもしれないのだ。たとえば、次のような予測を読んでみよう。

「たえず加速度的な進歩をとげているテクノロジーは……人類の歴史において、ある非常に重大な特異点に到達しつつあるように思われる。この点を超えると、今日ある人間の営為は存続することができなくなるであろう」（レイ・カーツワイル『ポスト・ヒュー

マン誕生』の中の科学者ジョン・フォン・ノイマンの発言）

人類がいつの日か、……人間の頭脳を超越する人工知能を構築することができたなら、それは非常にパワフルなスーパーインテリジェンス（超絶知能）となりうる。そのとき、われわれ人類の運命は、機械(マシン)のスーパーインテリジェンスに依存することになるだろう。（ニック・ボストロム『スーパーインテリジェンス』）

はたして、人工知能が人間の知性を凌駕(りょうが)するとき（特異点(シンギュラリティ)）が来るかどうか、いまのところ決定的なことはわかっていない。しかし、これまで人間にとって道具と見なされてきた機械が、人間の能力を超越し、人間の営みを左右するものになると予測されている。

近代のヒューマニズムでは、理性をそなえた人間が万物の霊長として世界を支配する、といった世界認識が基本にあった。いままで神に与えられていた役割が、人間に移ったのである。ところが、現代において、この人間の優越性が失われ、代わって機械がその位置を占めようとしている。

「スーパーインテリジェンス」とまで言わなくとも、機械が人間を支配するという状況は、もはや珍しいことではない。だとすれば、近代のヒューマニズムが想定した人間像は維持できないのではないだろうか。

人間という種はどうなるのか

こうした状況は、バイオテクノロジーの発展を考えると、いっそう理解しやすくなる。その格好の材料として、ユヴァル・ノア・ハラリが二〇一五年に出版した『ホモ・デウス』を挙げておこう。

ハラリは、前作の『サピエンス全史』で、現在にいたる私たちホモ・サピエンスの歴史を書いたが、『ホモ・デウス』ではその未来を描いている。

何千年もの間、歴史はテクノロジーや経済、社会、政治の大変動に満ちあふれていた。それでも一つだけ、つねに変わらないものがあった。人類そのものだ。……ところが、いったんテクノロジーによって人間の心が作り直せるようになると、ホモ・サピエンスは消え去り、人間の歴史は終焉を迎え、完全に新しい種類のプロセスが始まる……。二一世紀には、……ホモ・サピエンスをホモ・デウスへとアップグレードするものになるだろう。

二〇一八年、中国が人間の受精卵にゲノム編集を施して、双子を誕生させることに成功したとのニュースが報じられた。このニュースに対する世界の反応に批判的なものが多かったのは、ゲノム編集の技術が、ヒトゲノムの変更を可能にするものだからである。ヒトゲノムによって規定された生物を「人間（ヒューマン）」と呼ぶとすれば、ゲノム編集技術の登場は明らかに「ポスト・ヒューマン（人間以後）」への道を開くものだった。これを「人間の人為的な進化」と呼ぶこともできるだろう。

遺伝子組み換え技術について言えば、一九七〇年代以降世界中で行われてきた。しかし、その際ターゲットになってきたのは、あくまでも人間以外の生物だった。ところが、二一世紀に始まったのは、人間自身の遺伝子に対する操作である。これはまさに、人間を「つくり変える」ことだと言ってよい。

注意すべきは、この技術が受精卵に対するものである点だ。つまり、改変されたDNAは、次の世代に受け継がれていくのである。こうして、遺伝子の改変が数世代続けられると、まったく新しい「種（ポスト・ヒューマン）」を誕生させることができる。

遺伝子改変というテクノロジーは、これまで「優生学」という観点から批判されることが多かった。しかし、いま進行しつつあるのは、ある意味ではもっと深刻な事態である。人間という種を改良するだけでなく、人間を他の種につくり変えることができるのならば、それによってもともとの人間という種が絶滅してしまうかもしれないからだ。

こうした状況は、私たちにとって希望となるのだろうか、それとも脅威となるのだろうか。いずれの立場を信じるにしろ、私たちがすでにポスト・ヒューマニズムを考えるべき段階にいたっているのは間違いない。

生態学的危機の到来

環境分野におけるポスト・ヒューマニズムを考えるとき、その先駆けとなった議論がある。科学史家のリン・ホワイト・ジュニアは、一九六七年に『サイエンス』誌で、「生態学的（エコロジカルな）危機の歴史的根源（*The Historical Roots of Our Ecologic Crisis*）」という論文を発表し、環境問題に対して警鐘を鳴らした。

ホワイトは、「人口爆発、無計画な都市化、下水や廃棄物の処分」といった現在の生態学的危機を踏まえて、次のように述べている。

> いまから一世紀ちょっと以前に、それまでまったく離れていた活動であった科学と技術が一緒になり、多くの生態学上の結果から判断して、抑制のきかなくなる力を人類に与えたのであった。（『機械と神』）

世界中でいわゆる「環境問題」に注目が集まり始めた時期でもあったので、ホワイトの論文は衝撃をもって迎えられた。というのも、生態学的危機の原因がいままでポジティブに理解されてきた科学や技術と結びつけられていたからである。

この論文の中で環境破壊の原因としてホワイトが「人間中心的」と呼んだ言葉が、「人間中心主義」という形で広く使われるようになった。環境問題を論じるときに人間中心主義を批判して、「人間」ではないもの――すなわち他の生物や地球などを擁護することが、流行のスタイルになったのである。

他方で、一九世紀以降の産業の発達によって、大量生産・大量廃棄の生活が一般化したことで、エコロジー運動が、そうした生活そのものへの反省を促すものとして登場した。今日、「人新世」という言葉によって、人間中心主義が批判されているのも、これらと同根の問題として見ることができる。

たとえば、オゾンホールの解明でノーベル化学賞を受賞したパウル・クルッツェンは、二〇〇二年の『ネイチャー』誌に掲載された論文「人間の地質学（Geology of mankind）」で次のように述べている。

過去の三世紀で、人間の地球環境におよぼす影響力が高まった。二酸化炭素を人間が排出したために、世界の気候は、これからの何千年、自然な運行からとてつもなくそれていくだろう。現在の、多くの点で人間が支配する地質時代に「人新世（Anthropocene）」という言葉をあてがうのは、適したことのように思われる。それはこれまでの一万から一万二〇〇〇年の温暖な時代である完新世にとって代わる。

人新世という概念が、科学的にどこまで妥当かは別にして、いままでの人間中心主義的活動によって、生態学的危機が訪れているとすれば、「人間中心主義」を改めるか、人類がいなくなるかしかない。こうして、エコロジーにおいてもポスト・ヒューマニズムが視野に入ってくることになる。

2 ポスト・ヒューマニズムの系譜とは

次に主題とするのは、ポスト・ヒューマニズムの系譜である。これは、一九世紀末に、ニーチェが「ニヒリズム」の時代の到来を予告したときから始まっている。

ニーチェがニヒリズムを語ったときにどのようなことが想定され、またそこから何が出てきたかを考えてみたい。さらに、サルトルとハイデガーは、ニーチェのニヒリズムを、それぞれ違った形で受け取り、ヒューマニズムに対して独自の立場を取った。なぜだろうか。

ニヒリズムとニーチェの予言

一九世紀も終わりに近づくころ、ニーチェはニヒリズムの到来を高らかに宣言している。

私の物語るのは、次の二世紀の歴史である。私は、来たるべきものを、もはや別様には来たりえないものを、すなわちニヒリズムの到来を書きしるす。この歴史はいまではすでに物語られうる。なぜなら、必然性自身がここではたらきだしているからである。(『権力への意志』)

ニーチェが「次の二世紀」と語っているのは、言うまでもなく二〇世紀と二一世紀のことである。この「二世紀」をどこまで厳密に受け取るかは、それ自体が一つの問題だが、少なくとも現代がニヒリズムの時代であることは間違いない。

ところで、そもそもニヒリズムとはどのような意味だろうか。ひと昔前は「ニヒルな男」

などと言って、ちょっとした流行語にもなっていたが、もともとは「何もない（nothing）」に当たるラテン語の「nihil」に、「イズム」をつけたものだ。そのため、ニヒリズムはしばしば「虚無主義」と訳されてきた。

　しかし、「虚無主義」と訳したところで、多くの人はあまりピンとこないかもしれない。そこで、ニーチェ自身の説明を確認しておきたい。彼はこんな風に述べている。

> ニヒリズムとは何を意味するのか？　――至高の諸価値がその価値を剝奪されるということ。目標が欠けている。「何のために？」への答えが欠けている。（前掲書）

「至高の諸価値」とは何だろうか。少し抽象的でわかりにくいので、具体的に次のような質問を考えてみよう。あなたはどのように答えるだろうか。

　この世に、絶対に正しいことはあるだろうか？（「真」）
　この世に、絶対によいことはあるだろうか？（「善」）
　この世に、絶対に美しいものはあるだろうか？（「美」）

昔から、真・善・美というのは、人間にとって崇高なもので、学問や道徳や芸術によって追求すべきものだと考えられてきた。だが、先に挙げた問いは、現代人にとって自明なものではない。

たとえば、――「絶対に」などとは言えない。時と場所によって、それらの基準は変わるだろうし、人によっても意見は一致しない。早い話、何を正しい、よい、美しいと感じるかは、社会や文化によって一様ではないし、人の好みは「十人十色」だ。――もし、あなたがこう考えるとすれば、ニーチェの予言は的中していると言えるだろう。

神が死ぬとどうなるのか

こうしたニヒリズムを端的に表現したニーチェの有名な言葉が、「神は死んだ」である。彼は『愉しい学問』の中で、その言葉の意味を、近代との関連で明快に説明している。

――近代最大の出来事――つまり「神は死んだ」ということ、キリスト教の神への信仰が信ずるに足らぬものになったこと――は、その最初の影をヨーロッパに早くも投げかけ始めている。

ニーチェによれば、「多数の人びと」にとって、「この出来事とともにいったい何が起こったのか」は、理解されなかった。これに対して、すでに現代人は何が起きたかを知っている。二つの側面から、見ておこう。

一つは、ドストエフスキー『カラマーゾフの兄弟』の「大審問官」のセリフに表れている側面である。神を信じない次男のイワンが、信仰深い三男のアリョーシャにこう語るのだ。「神が存在しなければ、すべてが許される」と。

たとえば、殺人ということを考えてみよう。たしかに殺人は法律でも道徳でも禁止されている。しかし、「法律や道徳は『絶対に』正しいのか？」と問い直されると、「殺人が禁止されている」ことへの確信は途端に動揺し始める。

これまでは、「神」の存在が法律や道徳の最終的な根拠となってきた。簡単に言えば、「神」が禁じているから、法律や道徳において殺人は許されていないということだ（「神が殺人を禁じている」）。

だが、「神が存在しない」なら法律や道徳は、その最終的な根拠を失ってしまう。アドルノとホルクハイマーが『啓蒙の弁証法』で次のように語ったことを、思い出してほしい。

理性によっては殺人に対する原則的反論をすることはできないということを、糊塗することなく天下に唱道したために、サドとニーチェは、ほかならぬ進歩主義者たちの憎悪を買い、今日もなお迫害されている。

あるいは「人生の意味（生きる目的）」を考えてみよう。「何のために生きるのか？」という、あの問いである。たとえば、会社員のあなたに、誰かが「あなたはなぜ生きているのか？」と問いかけたとしよう。

家族のため、自分の楽しみのため、将来の生活のため……など、いろいろな答えがあるだろう。しかし、それらの答えに再度「それは何のため？」と問い直すと、また別の答えが必要になる。

記号化すると、わかりやすい。A→B→C→D→E……となって、それぞれが何のためかをたどっていくと、昔だったら「神のため」という最終目的に行きついたのである。しかし、「神が存在しない」なら、最終目的にたどり着くことなく、答えは宙づりになってしまう。

「神が存在しない」ことによって、法律や道徳、さらには人生の意味さえも、確固とした支えを失ってしまうかもしれないのである。こうして「神なき時代」には、どう生きて、どう判断すればいいかが大きな問題となったのだ。

実存主義の登場

もう一つの側面は、サルトルの「実存主義」に見て取ることができる。

サルトルは、第二次大戦後の混乱した社会状況の中で、「実存主義はヒューマニズムである」という講演を行い、実存主義を新たな時代の思想として強力に打ち出した。

サルトルは、ニーチェのニヒリズムを受けて、「神」に代わって「人間」を思想の原理に置いた。もし「神」が存在しないなら、それに代わって人間が根拠や意味を与えていかなくてはならない、と考えたのだ。ここで注目したいのは、サルトルがドストエフスキーの「神が存在しないなら、すべてが許される」という立場に立って、絶対的な根拠や意味の存在を認めていないことである。

つまり、サルトルの思想は「人間（の実存）」を原理としつつも、決して人々に安心を与えるようなものではなかった。人間は（「神」が存在しない以上）最終的な根拠を欠いたまま、一人不安におののき、孤独に決断するほかない。人間には、誰も救いの手を差し伸べてくれないのだ。

このように、サルトルが言う「ヒューマニズム」は、通常「ヒューマニズム」という言葉で理解されるものとは、大いに違っている。先に述べたように、「ヒューマニズム」には多義性があるため、その取り扱いには注意が必要である。

サルトルが、自分の実存主義をヒューマニズムと呼んだのは、「神ではなく人間がすべての基準となる」という場面設定を言いたいのであって、理性に代表される「理想的な人間性」を称揚したいためではなかった。

むしろ彼の思想は、「人間のみが存在する地平にいる」と語ることで、「神なき人間の時代」を表明するものだったと言える。

ハイデガーによる批判

だが、このサルトルの「実存主義＝ヒューマニズム」に対しては、予想外のところから批判が浴びせられることになる。批判を行ったのは、ドイツの哲学者マルティン・ハイデガーである。

ハイデガーは一九二七年に『存在と時間』を著し、すでに二〇世紀を代表する哲学者と目されていた。サルトルにしても、主著『存在と無』のタイトルから推察できるように、ハイデガーの影響は絶大だった。

また、『実存主義とは何か』の中で、サルトルは実存主義を有神論的と無神論的に分け、自分の実存主義がハイデガーの「無神論的実存主義」系列に属すると、その一体性を強調していた。にもかかわらず、ハイデガーはそうしたサルトルの説明をきっぱりと拒絶し、自分自身（ハイデガー）は「実存主義」でも「ヒューマニズム」でもない、と表明したのだ。

サルトルの講演本によって、実存主義はフランスをはじめとして世界的にも流行していた。そのとき、ハイデガーはフランス人ジャン・ボーフレからの手紙に返信するという形で文章を書いている。それが、『「ヒューマニズムについて」――パリのジャン・ボーフレに宛てた書簡』である。

ハイデガーは、いったい何を書いたのだろうか。なによりもまず、タイトルに注目したい。「ヒューマニズムについて」というのは、ドイツ語の原文では「Über den Humanismus」となっているが、ポイントは最初の前置詞「über」である。この語は、「について」という意味であるが、さらに「を超えて」という意味もある。

たとえば、ニーチェの有名な「超人」という概念は、原語では「Übermensch」となっている（Menschは人間を意味する）。とすれば、ハイデガーが「ヒューマニズムについて」を書いたとき、その意図として「ヒューマニズムを超えて」を想定していたことは予想できるだろう。

『存在と時間』を読んだ人には、ハイデガーがその書の中で「実存」概念を縦横無尽に使い、一般的に「実存哲学者」と見なされていたことは、よく知られていた。そのため、サルトルが、自身をハイデガーの無神論的実存主義系列に置いたのは、とくべつ不思議なことではなかった。

ところが、ハイデガーは、その書簡の中で自分を「実存主義者ではない」ときっぱりと語り、サルトルとの違いを強調した。つまり、ハイデガーは実存主義と距離を置く形で、自分の思想を定義していたわけである。

では、実存主義に代わる、ハイデガーの思想はどのようなものだったのか。彼は、それを「存在」の思想と呼んでいる。「存在」をどう理解すればよいかは簡単ではないが、少なくともサルトル的な「ヒューマニズム」と異なっていたことは間違いないだろう。

実際ハイデガーは、サルトルのような「実存主義」を、「近代的な人間の主観性」にもとづく形而上学と考え、「存在の思想」によって超えていく必要がある、と力説している。そこで、ハイデガーの思想を「『ヒューマニズム＝近代的人間主義』を超える思想」と呼ぶことにしよう。

では、「『ヒューマニズム＝近代的人間主義』を超える思想」として、ハイデガーが考えていたことは何だったのか。「ヒューマニズム＝近代的人間主義」を超えることは、いったい何を意味していたのだろうか。

人間をいかに克服するか

「神の死」を語ったニーチェに、もう一度立ち帰ってみたい。『ツァラトゥストラ』において「神は死んだ」と述べたあと、彼は町の市場で群衆にこう語りかけている。

わたしはあなたがたに超人を教える。人間とは乗り超えられるべきあるものである。あなたがたは、人間を乗り超えるために、何をしたか。……人間にとって猿とは何か。哄笑の種、または苦痛にみちた恥辱である。超人にとって、人間とはまさにこういうものであらねばならぬ。哄笑の種、または苦痛にみちた恥辱でなければならぬ。……超人は大地の意義である。……神は死んだ。

ここからわかるように、ニーチェは「神の死」とともに、「人間を超えること（人間の克服）」を要求した。これを、術語化したものが「超人」である。

注意したいのは、ニーチェの「超人」を「私たちが達成すべき特定の目標」といったイメージで捉えないことだ。最近の研究によると、「超人」という概念をニーチェが使ったのは、かなり限定されているようだが、彼は端的にこう言っている。

人間において偉大な点は、かれが一つの橋であって、目的ではないことだ。人間において愛しうる点は、かれが過渡であり、没落であるということである。(『ツァラトゥストラ』)

ニーチェは、「人間」は目的となるようなものではなく、過渡的存在であるということを述べている。ややわかりづらいが、先の引用文と合わせて考えれば、ニーチェが言いたかったのはこういうことだろう。すなわち、猿のように動物として生きるのか、それとも人間を乗り越えて「超人」として生きるのか――。

「動物」というキーワードについては、本章第4節でもう一度触れることになるが、ニーチェが人間・動物と、超人を区別して考えていたことを、ここでは確認しておきたい。

3　現代テクノロジーとポスト・ヒューマニズム

フランスの哲学者ミシェル・フーコーは、主著の中で「人間の消滅」を予告した。ニーチェが予言した「神の死」に続き、「人間の死」が訪れる、というのだ。
フーコーの「人間の消滅」は、あくまでも「人間」という概念の終焉を指すものだった。だが、二一世紀になると、それがテクノロジーによって現実化し始める。つまり、「人間の消滅」が現実の事態として起こり始めたのだ。はたしてどういうことだろうか。

迫りくる「人間の死」

フーコーは、ニーチェの「神の死」を受けとめ、そこから近代の歴史をあらためて問い直した哲学者である。彼は、出版されたときプチパンのように売れたと言われる『言葉と物』の中で、次のように語っている。

ニーチェが、切迫した出来事、〈約束＝威嚇〉という形態のもとに、人間はやがて存在しなくなるであろう――超人のみが存在することになるのだと告げたとき、ニーチェの思考がわれわれにたいして持ちえた、そしてなお持ちつつある震撼力が、いまは理解されるであろう。それこそ、人間はすでにだいぶ以前から消滅してしまい、現に消滅しつづけており、人間についてのわれわれの近代の思考、人間にたいするわれわれの心づかい、われわれの人間主義（ユマニスム）というものは、轟きわたる人間の非在のうえで、のどかに眠りほうけているという一事を、〈回帰〉の哲学のなかで言おうとしたものにほかならない。

フーコーによると、近代の中心概念である「人間」が誕生したのは、一八世紀末である。「十八世紀末以前に、《人間》というものは実在しなかった」とフーコーが言うとき、彼はカントの哲学を念頭に置いていた。

カントによれば、「人間」は一方で観察の対象になる客体であるが、他方で普遍的な知識を構築する主体でもある。そのことをフーコーは、こんな風に表現している。

人間とは奇妙な経験的＝先験的（＝超越論的、引用者注）二重体である。それこそ、そのなかであらゆる認識を可能にするものの認識がおこなわれる、そうした存在だからだ。（『言葉と物』）

だからこそ、フーコーは「人間」に焦点を定め、それにもとづいて形成された人間の諸科学の歴史を解明しようとした。『言葉と物』のサブタイトルが「人文科学の考古学」とされたのは、そのためである。

なかでも、フーコーの分析を有名にしたのは、近代において重要な役割を果たしてきた「人間」が、まさに終焉を迎えつつある、と予言したことだろう。『言葉と物』の最後の文章において、フーコーはまたしてもニーチェを持ち出しながら、「人間は波打ちぎわの砂の表情のように消滅するであろう」と述べている。

人間は消滅しようとしているのだ。神の死以上に——というよりはむしろ、その死の澪のなかでその死とのふかい相関関係において——ニーチェの思考が告示するもの、それは、その虐殺者の終焉である。（前掲書）

ニーチェが語った「神の死」は一九世紀末に起こっている。その「神」を殺した「人間」が、今度は二〇世紀末に消滅しようとしている、というのである。

思想から現実世界へ

もっとも、ここまで見てきたニーチェやフーコーの「人間の超克」や「人間の消滅」は、あくまでも思想の世界での出来事だった。

ニーチェが次のように語っているのを見ると、もしかしたら進化論的イメージが呼び起こされるかもしれない。しかし、ここで主張されているのは、けっして生物学的に「人間を超える」ことではない。

およそ生あるものはこれまで、おのれを乗り超えて、より高い何ものかを創ってきた。ところがあなたがたは、この大きい潮の引き潮になろうとするのか。人間を乗り超えるより、むしろ獣類に帰ろうとするのか。……あなたがたは虫から人間への道をたどってきた。だがあなたがたの内部にはまだ多量の虫がうごめいている。（『ツァラトゥストラ』）

ニーチェの哲学が、のちにナチスの優生学思想の正当化にしばしば利用されたことは事実である。だが、「人間の超克」を語るとき、ニーチェは生物学的な変化を念頭においていたわけではなかった。この点は、フーコーの「人間の消滅」も同じである。

もともと、フーコーが「人間の誕生」と考えていたのは、カントによって提示された「経験的＝超越論的二重体」としての「人間」の誕生であり、それはあくまで概念（フーコー的には「エピステーメー」）上での出来事だった。そのため、彼が「人間の消滅」と言ったところで、それは「人間」という概念が中心的な役割を果たさなくなったことしか意味しない。

具体的には、その当時に興隆しつつあった三つの学問である精神分析学・文化人類学・構造言語学を引き合いに出しながら、それらが「人間をその終焉に導くのではないか」と語ったのである。

人間を思考することを放棄し、あるいはより厳密に言えば、この人間の消滅を――そしてあらゆる人間科学の可能性の地盤を――それと言語(ランガージュ)というわれわれの関心事との相関関係において、じゅうぶん思考しなければならないのではなかろうか？（『言葉と物』）

フーコーの「人間の消滅」が、生物としての人間が消滅することを指していないのは明らかだろう。

ところが、二一世紀の現代では、文字通りの「人間の消滅」が議論されるようになっている。「人間の消滅」が、思想上の出来事としてではなく、まさに現実世界で始まろうとしているというのだ。いったい何が起こっているのだろうか。

バイオ革命の意義

現代における「人間の消滅」を確認するには、二〇〇二年に出版された二つの著作を見るのがいいだろう。

一つは政治哲学者フランシス・フクヤマが出版した『人間の終わり』であり、もう一つは生物物理学者グレゴリー・ストックが刊行した『それでもヒトは人体を改変する』だ。

フクヤマとストックは、書物の外でも論争しているが、二人が直面している状況は同じである。それは本章の第1節で見たような、受精卵の段階で人間の遺伝子が改変できるようになったことに対してである。

一九五〇年代にDNAの二重らせん構造が解明されて、分子生物学が飛躍的に発展した。一九七〇年代には、一方で人間の体外受精児が誕生するとともに、その他の生物に対する遺伝子工学も進歩した。そして二一世紀には、受精卵の段階で人間の遺伝子を改変するということも可能となった。

こうした状況を前にして、フクヤマとストックは、まったく対立した態度をとっている。フクヤマはバイオテクノロジー革命に規制をかけるよう主張し、次のように書いている。

　本書の目的は、……現代バイオテクノロジーが重要な脅威となるのは、それが人間の

> 性質を変え、我々が歴史上「人間以後（ポストヒューマン）」の段階に入るかもしれないからだ、と論じることである。これが重要なのは、人間の本来の性質なるものが存在し、しかも意味ある概念として存在し、そのおかげで種としての我々の経験が安定的に続いてきたからである。（『人間の終わり』）

周知のように、現在の人類はおよそ二〇万年前にアフリカで誕生したホモ・サピエンスの子孫であって、この一種のみがいままで存続し続けてきた。ところが二一世紀になって、遺伝子改変のターゲットがホモ・サピエンスそのものへと向かったことで「人間の本来の性質」が脅威にさらされているという。フクヤマは厳しく反対したけれど、もちろんそれとは違う立場も可能だろう。ストックは科学者らしい態度で、次のように書いている。

> ホモ・サピエンスで霊長類進化が終わりではないことはわかっているが、私たちが著しい生物学的変化の尖端にあって、現在の姿や性質を超越する、新たな想像力の目的地に向かって旅立とうとしていることを把握している人間はまだごく少数である。……ホモ・サピエンスは、その進化を急速に前進させることによって、自らの後

継者をうみだすだろう。(『それでもヒトは人体を改変する』)

ここで重要なことは、フクヤマとストックのいずれに賛成するか、ということではない。むしろ二人が共通して見ている事態こそが大切である。人間の遺伝子を改変することによって、「人間の消滅」が現実化すること——これが、バイオテクノロジー革命の意義だ。

ニーチェとカーツワイル

「人間の消滅」の現実化は、バイオテクノロジーによってのみ引き起こされるのではない。最近亡くなった天才物理学者スティーヴン・ホーキング博士は、二〇一四年にイギリスの公共放送BBCに出演した際、次のようなことを語っている。

人工知能が完全に発展すれば、人類の終わりをもたらすかもしれない。……やがて、自立化する人工知能が登場し、とてつもない速さで自己改造を始めるかもしれない。生物学的進化の遅さに制限される人間が、これに対抗できるはずもなく、いずれ追い越されるでしょう。

「人工知能（ＡＩ）」とは、一九五〇年代にコンピュータ研究者であるジョン・マッカーシーによって命名されたもので、基本的には機械である。機械と言えば、従来は人間が道具として使うものと考えられてきた。ところが、ホーキングは「計算する機械」であるコンピュータが、「人類の終わりをもたらす」と言う。どうしてだろうか。

たとえば、二〇〇五年に『ポスト・ヒューマン誕生』を発表したレイ・カーツワイルは、人工知能が人間の知性を超越すると主張し、その「シンギュラリティ」を二〇四五年と予測した。その理由について、彼はこんな風に説明している。

> いくつかの理由から、人間レベルのＡＩはやがて人間の知能を大きく上回ると断言できる。……機械はそれ自身の知識を簡単に共有できる。知的に強化されていないわれわれは自分たちの学習内容、知識、技術を伝えようとしても、それを構成するニューロン間の接続パターンや神経伝達物質濃度などの膨大な情報を共有する術がないため、時間をかけて言語によるコミュニケーションをとらなければならない。

コンピュータはネットワーク化されることで、情報の共有が簡単にできる。ところが、人間の場合はそうした知識の共有ができないため、やがて人工知能に追い抜かれてしまう、というのだ。

注目したいのは、カーツワイルがシンギュラリティ論を唱えるとき、ニーチェの議論を念頭に置いていたことである。彼は、マックス・モアの言葉を援用しながら、次のように述べている。

現代の哲学者マックス・モアは、人間性(ヒューマニティ)の目標は、「人間的価値によって方向づけられる科学技術を通して達成される」超越である、と説明している。彼は、ニーチェの言葉を引用している。「人間は、動物と超人の間に張りわたされた一本の綱——深い淵の上にかかる綱である」。ニーチェの言葉を解釈すれば、人間は他の動物よりも前進しつつ、さらに偉大な何ものかになることを希求していることになる。深い淵とは、テクノロジーが内包する危険を暗示しているとも考えられる。(『ポスト・ヒューマン誕生』)

カーツワイルがニーチェの思想についてどれほど真剣に考えていたのかは、明らかではない。だが、「人間を超える」という点で、カーツワイルとニーチェがつながっていたことは間違いないだろう。

4 現代に蔓延するニヒリズム

「人間の消滅」が現実にも露わになり始めたことで、哲学や思想はどうなったのだろうか。これについては、次章以降で詳しく論じるので、ここではひとまず時代の風潮や感覚として、どのようなことが起きつつあるかという形で、大まかに確認しておきたい。

「歴史の終わり」と「動物化」

「人間の消滅」が思想上の出来事でなく、まさに現実世界のうちで始まったこの時代を端的に表現する言葉として、「歴史の終わり」というものがある。これは、一九八〇年代末からの社会主義の世界的な崩壊という事実に直面して、前節で触れたフランシス・フクヤマが述べたものだ。

しかし、この概念は、けっこう誤解されることが多いので、その意味を確認しておこう。フクヤマによれば、「歴史の終わり」というのは、人間同士の社会的な対立が終わることである。それまで資本主義（自由民主主義）と社会主義が対立してきたが、社会主義の崩壊によって西洋の自由民主主義の優位が最終的に示された、というわけだ。

なぜそれが「人間の消滅」と結びつくのだろうか。そのことを考えるためには、フクヤマが典拠にしたアレクサンドル・コジェーヴの議論を確認しておかなくてはならない。コジェーヴは一九三〇年代にロシアからフランスに亡命した後、ヘーゲルの『精神現象学』の講義を行っている。この講義は、ジョルジュ・バタイユやジャック・ラカン、メルロ・ポンティといった若き俊英たちが聴講し、伝説にもなっている。

コジェーヴは講義の中で、ヘーゲルの「主人と奴隷」の対立を「歴史の始まり」と考え、この対立が終わるときを「歴史の終わり」と見なした。ここで重要なことは、コジェーヴが「歴史以前（動物の段階）⇓歴史（人間における対立）⇓歴史の終わり」という三段階を想定していたことである。

その上でコジェーヴは、「歴史の終わり」を「人間の消滅」と結びつけながら、次のように書いている。

歴史の終末における人間の消滅は宇宙の破局ではない。すなわち、自然的世界は永遠に在るがままに存続する。したがって、これはまた生物的破局でもない。人間は自然或いは所与の存在と調和した動物として生存し続ける。消滅するもの、これは本来の人間である（『ヘーゲル読解入門』）

さらにコジェーヴは、「子供の動物が遊ぶように遊び、大人の獣がするように性欲を発散するようなもの」とも述べている。

つまり、社会主義が崩壊し、世界中が自由民主主義一色になった「歴史の終わり」では、人間が食欲や性欲といった動物の基本的な欲望のままに生活し、刺激や享楽を求めて生きていく「動物化」が起こっている。それこそが「人間の消滅」であると、コジェーヴは言っているのである。

なぜシニシズムが広がるのか

コジェーヴは第二次世界大戦後にアメリカを訪問して、その地の人々の生活を見たことで、「動物化」の具体的なイメージをもったようである。

翻(ひるがえ)って、より現代を生きる私たちはどうだろうか。その答えは、インターネットの世界をのぞき込めば、すぐに明らかになる。「シニシズム」と呼ばれる「冷笑的／嘲笑(ちょうしょう)的」な態度が蔓延(まんえん)していることに気づくだろう。

シニシズムは、たとえば日本では「左翼」や「リベラル」に対する嘲笑的な批判として表れている、と言えばわかりやすいかもしれない。左翼やリベラルの主張を正面から批判するのではなく、罵ったり、バカにしたりするのが、基本的なやり方だ。

こうしたシニシズムはインターネットが発達すると目立ってきたが、そもそもいつから始まったのだろうか。あらかじめ指摘しておけば、現代のシニシズムの哲学的な創始者がニーチェであることは、間違いない。

彼は『権力への意志』の冒頭部分で、次のように書いている。

> 大いなる事物の望むところは、それについてひとが沈黙するか、大いに語るかである。大いにとは、すなわちシニカルにまた無垢にということである。

この「シニカル」という言葉は、必ずしも一筋縄で理解できるものではない。『シニカル理性批判』を書いたスローターダイクによると、シニカルには大別して二つの系列があるという。

そもそもシニカルという言葉は、ギリシア時代の「キュニコス（犬儒）派」に由来している。代表的な人物はディオゲネスだが、彼はいっさいの物質的な虚飾を排し、ぼろきれをまとって犬のような生活をした、と伝えられている。ディオゲネスは、権威や権力を厳しく批判（罵倒）したことでよく知られており、こうした批判的な態度が、一般にシニカルと言われていた。

それは、理論やイデオロギーが自分に仕掛けてきたものに対する、生きんとする意志の側からの回答なのだ。精神的な生存術にして知的なレジスタンス、風刺にして「批判」である。（『シニカル理性批判』）

ところが、スローターダイクは、キュニコス派の批判的な態度を「キニシズム」と呼び、ローマ時代のルキアノスのような「シニシズム」と区別する。ルキアノスのシニシズムは、権威や権力を批判するキニシズムでさえも嘲笑するのである。つまり、批判することそのものを嘲笑する。こうして、スローターダイクは「フモールに満ちた賤民の文化批判に宿っていたキニカルな衝動が、支配する側の上層の人間たちのシニカルな風刺へと急転してゆく」と述べる。

なぜスローターダイクは批判的なキニシズムと嘲笑的なシニシズムを区別したのだろうか。その理由は、二つある。一つは、第一次世界大戦後にドイツでファシズムが成長したのが、社会のうちにシニシズムが広がったためだったことにある。

そして、もう一つは、二〇世紀末にシニシズムが世界的に醸成されつつあったからだ。

何事にも深くコミットせず、真剣に議論しないシニシズムは、自分をいつも安全圏に置きながら批判的な人々を冷笑するものだ。

すでに述べたように、こうしたシニシズムがネット世界の流儀になってしまっていることは、常識となっている。こうして、現代のシニシズムでは、明確な論拠に立って相手を批判するといった人間的態度は退き、いわば動物的に、その場その場の状況に応じて情動的に反応することになるのである。

反出生主義の浸透

さて、シニシズムとともに最近とくに注目されているのが、「反出生主義」と呼ばれる思想である。これは簡単に表現すれば、人間は「生まれてこないほうがよかった」と考える思想だ。

じつを言えば、こうした考え自体は、すでに古代ギリシアや古代インド時代からあって、さまざまな形で表現されてきた。近代においても、ショーペンハウアーがこの考えを「ペシミズム」と呼び、特徴づけている。

また、それを受けて、ニーチェが『悲劇の誕生』の中で印象深く語っていることは、よく知られている。いずれも、難しい文章ではなく、考えとしてわかりやすいので、少し長くなるが引用しておきたい。

それにしても、思慮深く同時に誠実な人であれば、その生涯の終りに際して自分の人生をもう一度繰り返したいなどとはけっして望まないだろう。むしろそんなことをするくらいなら、まったく存在しないことを選ぶ方がまだしもはるかにましだと思うことだろう。（ショーペンハウアー『意志と表象としての世界』）

ミダス王はディオニュソスの従者であった賢者半獣神を長いあいだ森の中に追い求めたが、捕えることができなかった。しかし、王がついにシレノスを手中におさめたとき、王は、人間にとってもっとも善いこと、もっともすぐれたことは何であろうか、と問うたのであった。この魔神はじっと身じろぎもせずに口をつぐんでいた。だが、とうとう王に強いられて、けたたましい笑い声をあげ、吐き出すように言ってのけた。「みじめな一日族よ、偶然と苦労の子よ。聞かないほうが御身にとっていちばんためになることを、なぜむりに私に言わせようとするのか？　もっとも善いことは、御身にとってはまったく手が届かぬことだ。それは、生まれなかったこと、存在しないこと、なにものでもないことなのだ。しかし、御身にとって次に善いこととは――すぐに死ぬことだ」（ニーチェ『悲劇の誕生』）

こうした考えを、いまの時代にあらためて強力に主張したのが、ルーマニアのエミール・シオランの『生誕の災厄』や、南アフリカのデイヴィッド・ベネターの『生まれてこないほうが良かった』だった。

シオランの本は、四〇年以上前に翻訳されていたが、二〇二一年に新装版（出口裕弘訳、紀伊國屋書店）が出ている。また、ベネターの本の原著は二〇〇六年に出版され、二〇一七年に訳書が刊行されている。シオランとベネターでは、議論の仕方がまったく違うが、ともに「生まれてくることの害悪」を考える点では、共通している。

とりわけ、ベネターの本は分析哲学の手法を取り入れ、「生まれてこなければよかった」という命題を、きわめて論理的な形で分析している。そこから「人間はすべて生まれてこないほうが良かった」と結論し、「人類はできるだけ早く滅亡したほうがいい」とまで主張するわけである。

注目したいのは、まさに今日こうした反出生主義に対して、少なからぬ人々が賛同を示していることだ。「人類の滅亡を目指す」と言えば、かなり極端な思想のように聞こえるかもしれない。しかし、この思想が、「人間の消滅」が現実にも露わになり、「人類の滅亡」

というテーマが社会的な注目を浴びつつある時代性を象徴しているものであることは間違いないだろう。

「人間の尊厳」が揺らいでいる

事実いま、こうした状況の変化と歩調を合わせるように、私たちの道徳や価値観もまた大きく転換しつつある。

たとえば、「人間」を中心に置いた近代的道徳をわかりやすく表しているのが、「人間の尊厳」という概念である。ところが、いまやバイオテクノロジーによって人間の遺伝子を好き勝手に操作することも可能になりつつある。いままで重視されてきた「人間の尊厳」が揺らぐのも当然であろう。

こうしたポスト・ヒューマン的状況に対してありうる一つの態度は、ヒューマニズムに依拠して反対することだ。その代表的な哲学者が、ユルゲン・ハーバマスである。彼は二〇〇一年に出版した『人間の将来とバイオエシックス』において、次のように述べている。

選別と形質変換を目標とした遺伝子技術と、そのために必要な、将来の遺伝子治療に向けた研究のあり方……こそが、本当に新たな種類の挑戦であると言えよう。

ハーバマスは人間に対する遺伝子操作を「人間の道具化」であり、「人間の品種改良」であると批判し、「バイオテクノロジー規制」を打ち出した。その論拠が、「人間の尊厳」という概念にほかならない。

だが、そもそも「人間の尊厳」という概念を提示したのは、一八世紀のカントであるが、彼の時代には受精卵のゲノム編集という技術は、想像さえできなかったはずである。カントがどのように言ったかを確認しておこう。

> 人格としてみられた人間、すなわち道徳的＝実践理性の主体としてみられた人間は、すべての価格を超え出ている。なぜならこのようなもの（homo noumenon 可想的人間）としての人間は、他人の目的に対する、いやそれどころか自分自身の目的に対してさえも単に手段としてではなく、目的それ自体として尊重されねばならないからである。すなわち、人間は尊厳（絶対的な内的価値）を有し、……（『人倫の形而上学』）

この引用文からわかるように、カントが「尊厳」を持つと考えているのは、あくまでも道徳的で理性的な主体であって、「その行為に責任を帰することができる主体」を想定している。

言うまでもなく、「受精卵」はそうした主体ではない。そこでニック・ボストロムは、これに対して二〇〇五年に論文「ポストヒューマンの尊厳を擁護する（In Defense of Posthuman Dignity）」を発表し、そこで次のように述べている。

超人間主義（Transhumanism）の考えによれば、現在の人間の本性は応用科学や他の合理的な方法によって改良することができる。それによって、人間の健康の期間を延長し、私たちの知的・身体的能力を拡張し、私たちの心的状態や気分に対するコントロールを増大させることができるのである。

人間が科学によって改良され「超人間」に進化するとき、能力などは増強されるはずだ。もし人間に尊厳があるとすれば、より高い能力を持つ「超人間」にも尊厳はあるに違いない。こうした立場に立つならば、「人間の尊厳」に訴えて、ポスト・ヒューマニズムに反対することは不可能だろう。なお、「自然の尊厳」につては第四章第3節で再度取り上げたい。

台頭する自然主義

ポスト・ヒューマニズムと密接なかかわりを持つ思想の潮流としては、近年大きく台頭してきた「自然主義」も見逃せない。

自然主義は簡単に言うと、「人間は自然科学的に解明できる」とする態度のことで、脳神経科学や生物学、情報科学などの認知科学の発展とともに、現代のコンセンサスになりつつある。

代表的な提唱者であるダニエル・デネットは、二〇〇三年に出版した『自由は進化する』の中で、次のように語っている。

> わたしの根本的な視点は自然主義だ。哲学的な探求は、自然科学的な探求を超越したものではなく、それに先立つものでもない。真実を求める自然科学の試みと手を組むものであり、哲学者のやるべき仕事は、衝突しがちな視点の見通しをよくして宇宙についての統一的な見方に統合することだ。これはつまり、きちんと勝ち取られた科学的発見や理論の成果を、哲学的理論構築の材料としてちゃんと受け入れるということであり、それにより科学と哲学の両方についてまともな情報にもとづく建設的な批評が行えるようにする、ということだ。

自然主義を考えるとき、注意しておきたいのは、同じ自然主義でもポール・チャーチランドが提唱する「消去的唯物論」との違いである。というのも、自然主義に賛成するにしても、反対するにしても、この二つはしばしば混同されがちだからである。

チャーチランドは、「消去的唯物論と命題的態度」において、「素朴心理学」と呼ばれる「心」に対する常識的な理解を批判して、神経科学などの認知科学的理論に置き換えようとした。こうして、人が常識的に想定している「心」を消去してしまおう、というわけである。

> 自然誌と物理科学の観点からホモ・サピエンスにアプローチするならば、われわれは人間の組成、発達、行動能力に関して、素粒子物理学、原子・分子理論、有機化学、進化論、生物学、生理学、そして唯物論的な神経科学を含む整合的な物語を語れる。

「消去的唯物論」をとれば、「人間の自由意志は幻想だ」ということになるだろう。ところが、デネットの自然主義は、そうした消去主義とは区別しなくてはならない。彼は次のように語っている。「自然主義は自由意志の敵なんかじゃない。それは自由意志の肯定的な説明を提供する」。

自然主義については、詳しく説明し始めると長くなるので、このあたりでやめておくが、デネットの自然主義が「心」を消去するわけではないことは、強調しておきたい。

いずれにしても、脳科学や生物学、進化論、情報科学など、人間を客観的に理解するための理論装置は日々拡大しており、これらを積極的に擁護するのが自然主義である。それがポスト・ヒューマニズムを助長している点は、しっかりと確認しておく必要がある。

資本主義とのかかわり

また資本主義の発展もポスト・ヒューマニズムの盛り上がりと密接に結びついている。たとえば、「情報」ということを考えてみよう。ＧＡＦＡなどの巨大企業を想定するまでもなく、今日の資本主義が情報をめぐって展開しているのは明らかだ。ドゥルーズは、『記号と事件』の中の「管理社会について」において、次のように語っていた。

いまの資本主義が売ろうとしているのはサービスであり、買おうとしているのは株式なのだ。これはもはや生産をめざす資本主義ではなく、製品を、つまり販売や市場をめざす資本主義なのである。だから現在の資本主義は本質的に分散性であり、……いまやマーケティングが社会管理の道具となり、破廉恥な支配者層を産み出す。……人間は……借金を背負う人間となった。

あるいは、人工知能と資本主義の関係を考えてもいい。資本主義の「第四の革命」と言われる「モノのインターネット（IoT）」について、ハラリは次のように述べている。

「すべてのモノのインターネット」がうまく軌道に乗った暁には、人間はその構築者からチップへ、さらにはデータへと落ちぶれ、ついには急流に呑み込まれた土塊のように、データの奔流に溶けて消えかねない。（『ホモ・デウス』）

資本主義はもちろんバイオテクノロジーとも関係している。

指摘しておきたいのは、人間の遺伝子を改変し、能力の増強を目指そうとする欲望が、資本主義における欲望と共通のものであるということだ。つまり、利益を最大化するという資本主義の欲望は、ゲノム編集によって子孫の遺伝子を改変したいというバイオテクノロジーの欲望とパラレルになっている。

一方で、バイオテクノロジーの濫用は、資本主義と結びつくことで「格差」を助長することにつながっている。遺伝子改変技術を利用できる人は、一部の裕福な人に限定され、その結果として社会的な差別が広がる可能性がある。この論点は、遺伝子改変に対する批判の中でしばしば繰り返されてきたものだ。

さらに、すでに見たように、現在の地球環境における生態学的な危機を生み出しているのも、地球規模の爆発的な人口増大であり、それを支える資本主義による大量生産と大量廃棄のシステムだった。

そもそも資本主義は利益を生み出すことのみが目的であって、そのために環境が破壊されたとしても、必ずしも問題とは言えない。また、資本主義と環境が本当に対立するかどうかも議論の余地が残る。

だが、現にこれまで環境は破壊されてきており、人類の絶滅を招きかねない生態学的危機という事態に直面したことがきっかけで資本主義の問題としてクローズアップされるようになった、という経緯は見過ごせない。

このように資本主義の発展は、様々な形でニーチェにはじまるポスト・ヒューマニズムの思想が必要とされる局面を準備している。では、そうした思想は、具体的にどのように結実しつつあるのか。次章からは、いよいよ二一世紀の哲学の中身に入っていくことにしよう。

第二章　思弁的実在論はどこからきたのか

かつて哲学の新たな潮流と言えば、大学を中心として生まれることがほとんどだった。そこにはたいてい巨匠が鎮座しており、その周りに学派や主義が形成された。そして彼らが書いた著作を通して、その哲学や思想は広がっていった。

ところが、二一世紀の「思弁的実在論」は、まったく違ったスタイルで登場した。インターネット上のブログなどで議論が交わされ、グループが形成された。そしてその哲学や思想は、彼らが企画したイベントなどを通して広がっていったのである。

こうした成立の事情もあり、思弁的実在論という名前は急遽必要になったものだった。また、その後の展開においても、思弁的実在論は予想できない道のりをたどった。数年も経たないうちに、内部分裂をはじめ、相互批判がなされるようになったのだ。

そのため登場から一〇年以上を経過したいま、「思弁的実在論は存在しているか?」とあらためて問われると、多くの人は答えに窮してしまうだろう。ほんの一時期の、即興的なグループだったという見方もできる。

にもかかわらず、思弁的実在論が切り開いた地平は、画期的なものだった。二〇〇七年に「ワークショップ」が開催された当初、哲学内部のやや尖った主張のように見え、その意図がどこにあるのか、一般にはわかりにくかった。だが、いまから振り返って整理してみると、それが「人間主義」あるいは「人間中心主義」の彼方へと向かうものだったことがよくわかる。

一九世紀後半にニーチェによって予言された「人間を超えること」――これを思弁的実在論は思想において実践し始めたのである。だからこそ、思弁的実在論は文化全体へとまたたくまに広がったのではなかろうか。一部には、思弁的実在論は単なる流行として受け取られたかもしれないが、そこには深い狙いがあったのである。

そこで第二章では、全体を四つに分けて、思弁的実在論が引き起こした地殻変動とその意義にアプローチする。

第1節では思弁的実在論の始まりとその展開について、第2節ではメンバー共通のターゲットである「相関主義」批判を、代表格と目されるフランスの哲学者カンタン・メイヤスーに即して取り上げたい。第3節では、思弁的実在論の他のメンバーたち、そして第4節ではその周辺の思想へと視野を広げ、人間中心主義批判という、この思想の根本的なスタンスを理解したい。

1　思弁的転回の意味とは

思弁的実在論は登場した当初、何を問題にしているのかさえ一般には理解しづらかったと述べた。そこで本節では、思弁的実在論を外部の視点から見直し、その主張をもっと一般的な文脈に落とし込んでみたい。

伝説のワークショップ

二一世紀の哲学はどこへ向かっているのだろうか。それを理解するには、いまでは伝説となった、ある「ワークショップ」の話から始めなくてはならない。二〇〇七年の四月に、ロンドン大学のゴールドスミス校で開催されたものだ。思弁的実在論と題されたこのワークショップは、四人の若い研究者たちによって企画された。

名前を確認しておけば、レイ・ブラシエ、イアン・ハミルトン・グラント、グレアム・ハーマン、カンタン・メイヤスーである。彼らは、それまでほとんど無名に近かったが、ワークショップののちに一気に知られるようになった。その意義については、『思弁的転回大陸の唯物論と実在論（*The Speculative Turn*）』という論集が出版されている。

日本ではまずメイヤスーが、ジャック・デリダ以後のフランスを代表する哲学者として脚光を浴び、その後ハーマンが思弁的実在論の解説者として、登場するようになった。この二人については、著作が翻訳されているが、ブラシエとグラントについても邦訳が準備中のようである。

著作が少しずつ読めるようになってきたとはいえ、思弁的実在論にはいまでもわかりにくさがつきまとっている。そもそも、思弁的実在論は何を目指していたのだろうか。四人の論者に、いったいどのような主張が共通しているのだろうか。

思弁的実在論の理解を難しくしているのは、現時点では思弁的実在論が一つのグループとしてはすでに存在しないことだ。たとえば、スロベニアの哲学者スラヴォイ・ジジェクは早くも二〇一二年の段階で、次のように述べている。

私たちが見極めることができるのは、思弁的実在論の限界であり、この限界は、それがすぐさまグレマスの記号論的四方形をなす四つの方向性に分裂したという事実のうちに示されている。すなわちメイヤスーの「思弁的唯物論」、ハーマンの「対象指向哲学」、グラントの「新生気論」、ブラシエの「ラディカル・ニヒリズム」である。(『無よりも少ない』〔*Less Than Nothing*〕)

もっとも、ジジェクの批判に対して、ハーマンが再批判しているように、思弁的実在論が分裂したからといって、そのことが彼らの思想の限界を示しているわけではない。とはいえ、それぞれ多様な方向に分裂したことで当初のメンバーがすでにいなくなったのは確かである。そのうえ、互いに対しての批判的なコメントさえあるので、思弁的実在論をいま問題にすること自体が疑問かもしれない。

こうした事態は、二〇〇九年に開催された第二回ワークショップ（「思弁的実在論／思弁的唯物論」）のころから予感できた。というのも、一般には代表者と見なされていたメイヤスーが、なんと欠席していたからだ。とすれば、思弁的実在論の分裂は、けっこう早い時期からはじまっていたのであろう。

思弁的実在論を一つのまとまったグループとして考えるのが厳しいとしたら、いったいどう理解したらいいのだろうか。現象学の多様な広がりを「現象学運動」と呼ぶように、思弁的実在論も運動として見なすほうがいいのだろうか。

ところが、思弁的実在論のワークショップに参加した哲学者たちが、その後もこの名称を必ずしも積極的に使ったようには見えない。たしかに、最初のワークショップでは思弁的実在論という共通の看板の下で、メンバーがそれぞれ思想を展開しているが、ずっとこの名称が使われたわけではないのだ。とすれば、思弁的実在論とは何だったのだろうか。

おそらく、いちばん適切な表現は、これを「イベント」として考えることだろう。四人のプレイヤーがある音楽イベントに参加してセッションを行った。イベントでは、四人は息の合った演奏を行ったが、同じグループとして永続的に活動し続けるわけではない。それぞれが独自のスタイルを持ち、いまではソロプレーヤーとして活動している。こういうイメージである。

思弁的実在論をイベントとして考えると、注目すべきはこの活動が主にインターネット上で展開されたことだ。個人的なブログやウェブサイトなどを通じて、多様な形で議論が交わされた。思弁的実在論の盛り上がりは、こうしたオンラインでのやり取りを通じて、明確な形をとったといってよい。

とすれば、思弁的実在論というイベントは、そもそもどうやって立ち上がったのか。また、いったい何を目指して企画されたものだったのか。グループとしては分裂したとしても、イベントの歴史的な意義は確認しておく必要がある。

どのような意味での実在論か

あらかじめ確認したいのは、思弁的実在論という名称が、最初から妥協案として選択されたことである。ハーマンは次のように書いている。

> 思弁的実在論という名称は、このイベントの直前に、仕方なしの折衷案としてブラシエが発明したものである。（『思弁的実在論入門』）

ハーマンの説明によると、ブラシエと出会ったのはイベントの二年前だったという。そののちに交流が深まり、彼ら二人とグラントで、「共同イベント」を計画したが、それまでハーマンはグラントの「著作には不案内であった」らしい。

また、ブラシエはパリ旅行中に見つけたメイヤスーの『有限性の後で』を、ハーマンにも読むように勧めたという。そこから、「メイヤスーの名もこの共同イベントに混ぜ込んだ」とされる。

こうした記述を読むと、古い世代からは信じられないほど、軽いノリによって思弁的実在論が成立したことがわかる。四人が出会ったのも日が浅く、それぞれの著作をじっくり読みこんでいたわけではなかった。むしろ、そんな古いスタイルをあざ笑うかのように、彼らのイベントは立ち上げられたのだ。

しかし、なぜこのイベントが思弁的実在論と呼ばれ、その名称が「仕方なしの折衷案」

だったのだろうか。

このイベントのための名前が必要だということで、私たちははじめ思弁的唯物論を考えた。メイヤスーが彼自身の哲学を呼ぶ言葉である。しかし、私（ハーマン、引用者注）自身の熱烈な反唯物論的立場を考えて、ブラシエが代わりに提案したのが思弁的実在論である。そしてご覧のとおり、この名前が最終的に採用されたのである。（前掲書）

哲学的に言えば、「実在論」や「唯物論」という言葉はやっかいな背景を持っている。そのため、使うときは注意が必要だ。たとえば、中世哲学で実在論が問題になるのは、「唯名論」と対比されるときである。普遍的な概念が「実在する（モノとしてある）」場合、実在論と言われる。それに対して、唯名論では普遍は実在せず、名前にすぎないと主張する。あるいは、かつて唯物論が強調されたのはマルクス主義の文脈においてであり、エンゲルスは「観念論か唯物論か」という対比で、唯物論を主張した。マルクス主義では、精神に対して物質の根源性を主張するとき、唯物論と呼ばれる。この対比はライプニッツも使っているが、一般的に「観念論」と対比されるのは、むしろ実在論である。現代において唯物論は、「現実に存在するすべてのものが物質的である」という主張である。

わずか、これだけでも混乱しそうであるが、少なくとも実在論という概念を使うには、けっこうな注意が必要なのだ。つまり、使うときは、どんな意味で実在論なのかを明らかにしておかなくてはならない。

では、思弁的実在論は、どのような意味で実在論と言えるのか。

実在論から出発しよう。この言葉は人によってさまざまなことを意味するが、哲学でふつう言われる意味は比較的はっきりしている。つまり実在論者とは、人間の心とは独立した世界が在ることに賭ける人々だ。実在論を否定する簡単なやり方は、その反対の立場つまり観念論を採用することである。観念にとって、実在は心と独立ではない（前掲書）

ここで説明されているのは、認識論的な意味での対立であり、実在論（人間の心とは独立した世界が在る）と観念論（実在は心とは独立ではない）が対立している、ということだ。わかりやすく言えば、人間がモノを認識するとき、心の中で観念（idea）を抱くのだが、その観念とは別にモノ（reality, world）の存在を肯定するのが「実在論」（realism）、観念とは独立したモノは存在しない、とするのが「観念論」（idealism）である。

これを直感的にわかるよう図解すると左の図のようになる。こうした実在論の用法は、近代以降の用法であり、ジョージ・バークリが「存在するとは知覚されることだ」と観念論を表現して以来、一般的になっている。しかし、この用法はあくまでも、一つの用法であって、同じメンバーの「グラントはこの語のこうした定義を拒否している」と言われる。

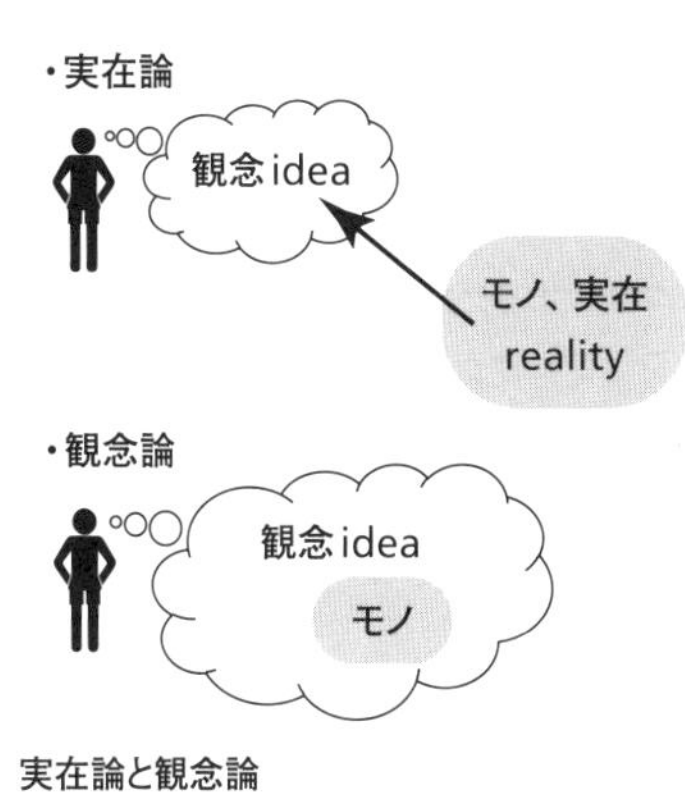

実在論と観念論

対立した概念をまとめた思想

ハーマンの実在論の説明を見ると、この世界は見たままの姿で存在していると考える、いわゆる「素朴実在論」と変わらないように思われるかもしれない。それが、どうして「思弁的」実在論と呼ばれるのだろうか。ハーマンは、グループの四人の哲学が実在論であるとしても、それぞれ意味が異なる、と注記しながら次のように述べている。

四つの哲学のすべてが実在論である——ただし

この語はそれぞれの場合でむしろ異なる事柄を意味するとはいえ。また四つすべてが思弁的である——すなわち今までの常識的実在論とは違って、四つとも直観に反し、さらには率直に奇妙な結論へ至っているという意味で。(『思弁的実在論入門』)

ここで対比されているのは、「常識的(commonsensical)」と「思弁的(speculative)」の対比である。とはいえ、ハーマンはこれ以上の説明をしていないので、少しばかり解釈を入れて意味を補足しておきたい。

はっきりしているのは、思弁的実在論が「常識的実在論」ではないことだ。おそらく、ここで「常識的」と言われているのは、それが私たちの常識にもとづくからであろう。つまり外界は、人間の知覚や心、あるいは思考から独立に存在している。哲学者でなければ、こうしたことはきわめて明白に思われるのではないだろうか。だからこそ、「常識的実在論」と呼ばれるわけである。

これに対し、思弁的実在論は直観に反し、奇妙な結論に至ると言われる。どうしてだろうか。まず確認したいのは、「思弁的」という語と「実在的」という語が、哲学の伝統では対立的に使われることだ。

たとえば、ヘーゲルは論理学を、実在的な領域の探究である自然哲学や精神哲学から区別して、思弁哲学と呼んでいる。つまり、実在から切り離されているという意味で、「思弁」というわけである。

ところが、このまったく対立した二つの概念を、一つにまとめたのが思弁的実在論であり、だからこそハーマンは「直観に反」するとか「率直に奇妙な結論」と言っているのだ。しかし、そんなアクロバット的な芸当は、はたして可能なのだろうか。

それを理解するには、思弁的実在論の具体的な主張に立ち入らなくてはならないが、それはあとで行うとして、先にメンバー間の当初からの違いについて、もう少し確認しておくことにしよう。

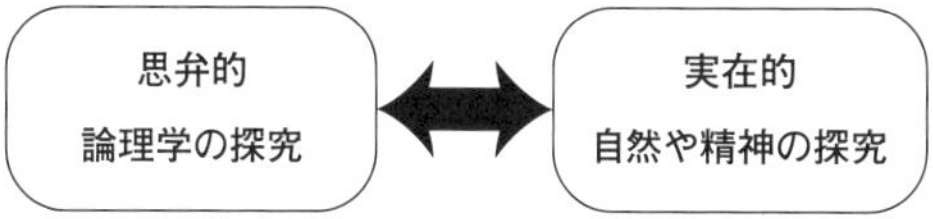

思弁的
論理学の探究

実在的
自然や精神の探究

「思弁的」と「実在的」の対比

なぜ分裂してしまったのか

思弁的実在論は、最初から「仕方なしの折衷案」として始まったのだが、その根本的な理由は内部に大きな対立が含まれていたからだ。そのため、ジジェクが指摘したように、「四つの方向に分裂」することになった。では、四人の哲学者たちは、どのような関係にあったのだろうか。

ジジェクは思弁的実在論の四方向への分裂を論じたあとで、次のような分類を語っている。「二つの軸に沿って、これら四つの立場に位置が与えられよう。神性／世俗の軸、そして科学／形而上学の軸」（『思弁的実在論入門』の中のジジェクの発言）。このジジェクの指摘に対して、ハーマンは前者の軸は不適切で、後者の軸は正当だと見なしている。まず後者について、より具体的な言及箇所を見てみよう。

メイヤスーとブラシエの二人は、実在はラディカルに偶然的であり、形式化された科学を通じて了解されるとする科学的実在観を擁護する……けれども、ハーマンとグラントは、非科学的で形而上学的なアプローチを擁護する……（前掲書）

これに対して、ハーマンは若干留保しながら、次のように言う。「ブラシエとメイヤスーは二人ともに、数学および／ないし自然科学を実在の本性にかんする特権的言説とみなす思弁的実在論者であるのは明らかである」（『思弁的実在論入門』）。

一方、ハーマンは「神性／世俗の軸」についてはジジェクの提案を退け、次のような軸を提案している。それによってハーマンとブラシエのグループと、グラントとメイヤスーのグループに分けるのである。

ブラシエなら思考と世界と呼ぶもののあいだ、またOOO（ハーマン、引用者注）なら感覚的と実在的と呼ぶもののあいだの、特殊な共約不可能性である。……これは明らかにメイヤスーには当てはまらない。……グラントに関しては、……最終的に彼は一元論者であって、……実在とそのイメージの間には、……危険な跳躍はないのである。（前掲書）

ハーマンの説明を参考に四人の思弁的実在論者の立ち位置を図式化すると、上の図のようになる。

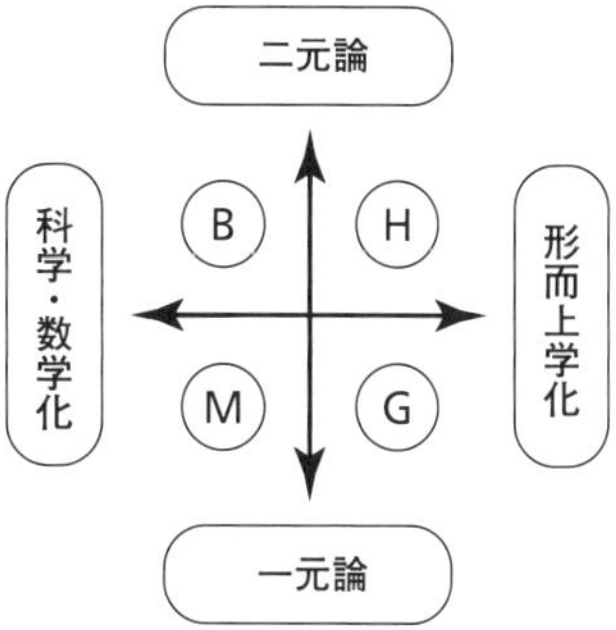

ブラシエ（B）、ハーマン（H）、メイヤスー（M）、グラント（G）の思想的立ち位置

こうして見ると、思弁的実在論は、たとえ一時期だったとしても、共通の看板の下で活動したのは、奇跡だったのかもしれない。思弁的実在論という名前を提案したブラシエは、二〇一一年のインタビューで、次のように語っている。

「思弁的実在論運動」なるものは、私が全く共感を抱かないアジェンダを掲げるブログ執筆者たちが抱く妄想の中にしか存在しません。汎心論的な形而上学とプロセス哲学を少々まぶしたアクターネットワーク理論を支持するブログ執筆者たちのことです。インターネットが真剣な哲学的議論のメディアとして適切だとは信じておりませんし、またブログを使ってネット上で哲学的運動をでっち上げ、何でも信じこみやすい大学院生たちの方向を誤った情熱を搾取することが許されるとも思いません。ドゥルーズは、つまるところ哲学の最も基本的な課題は愚かさを妨げることだと言っていますが、私はそれに賛成します。なので、ネット上で愚かさの乱交を生み出したことが最大の達成であるような「運動」に、哲学的な利点はほとんど見出すことはできません。(*KRONOS*)

これを見れば、思弁的実在論に対して、いまでは最初のメンバーでさえも批判的であると述べた理由が理解できるだろう。しかし、だからと言って思弁的実在論として立ち上げた活動がすべて無意味になるわけではない。

というのも、思弁的実在論は、二〇世紀哲学の根本的な弱点を暴き、それとは異なる道を示したからである。思弁的実在論が分裂したのは、ジジェクが言うようにその限界のためだったからというより、いっそうの可能性を求めて突き進んでいった結果だと考えたほうがいい。

では、思弁的実在論はどのような可能性を示したのだろうか。

2 相関主義をいかに乗り越えるか

本節では、思弁的実在論が共通課題とした「相関主義批判」を主題とする。そもそも「相関主義」とは何か、またどうして問題なのか、これらをメイヤスーの議論を通して明らかにしたい。

メイヤスーは、思弁的実在論が話題となり始めた当初、それを代表する哲学者と見なされ、著書である『有限性の後で』に注目が集まっていた。ここでは、その書に即して、思弁的実在論による相関主義批判を考えていく。

思弁的転回のターゲット

最初のイベント立ち上げのころ、思弁的実在論はそれほど一般から注目を集めていたわけではなかった。ところがその後、内部に対立を孕(はら)みつつも、インターネットを通して急激に広がっていった。

ハーマンは、『思弁的実在論入門』の「はじめに」で、こう言っている。「思弁的実在論は、ここわずか一〇年で、アート、建築、人文学でもっとも影響の大きな哲学潮流の一つとなった」。いったい思弁的実在論の何が、人々に影響を与えたのだろうか。

それを理解するには、まず思弁的実在論が何を主張したのかを考えなくてはならない。

ハーマンは次のように説明している。


最初の思弁的実在論者たちは、相関主義を拒否するという一点において団結したのだと述べてもよいだろう。(『思弁的実在論入門』)

「相関主義(correlationism)」という表現は、メイヤスーが『有限性の後で』において使った言葉である。ハーマン自身は同じ意味で、「アクセスの哲学」と呼んでいた。しかし、思弁的実在論を代表する表現としては、「相関主義」を使うほうが好まれたようだ。そのため、メイヤスーの著書が、思弁的実在論の中心思想と見なされたわけである。

メイヤスー自身は思弁的実在論というより、「思弁的唯物論」を標榜(ひょうぼう)していて、注意が必要だ。ただし、実在論と唯物論を区別する理由については、彼は必ずしも十分に説明していない。その点を確認したうえで、メイヤスーの相関主義批判を見てみよう。

メイヤスーによれば、カント以後の哲学はすべて（現象学であれ、分析哲学であれ、ポストモダンであれ）「思考と存在の相関のみにアクセス」できると考えてきた。つまり、思考（意識）とその対象との関係を問うという形で、議論されてきた。だが、彼はこうした「相関の乗り越え不可能な性格を認めるという思考のあらゆる傾向」を相関主義と呼び、その超克が必要だと訴えるのである。

私たちは、現代人の存在論的要請、存在するとは相関項であることであるという要請と手を切らなければならない。反対に私たちは、思考がどのようにして非−相関的なものへと——すなわち贈与されずに存在しうる世界へと——アクセスできるのかを理解するべく試みなければならない。（『有限性の後で』）

問題はこうした相関主義を、どうすれば乗り超えることができるのか、ということである。「素朴実在論」のように、最初から私たちとは独立の世界が存在していると前提したところで、何の解決にもならない。それではただ、カント以前の段階に舞い戻るだけだからだ。では、どうすればいいのか。

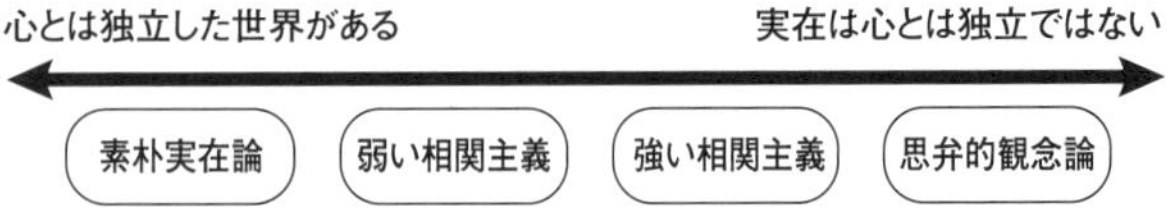

心とは独立した世界がある　実在は心とは独立ではない

素朴実在論　弱い相関主義　強い相関主義　思弁的観念論

メイヤスーのスペクトラム

メイヤスーは相関主義をいくつかのモデルに分けて、議論を展開していく。それをハーマンは、「メイヤスーのスペクトラム」と呼んでいる。具体的に言えば、「素朴実在論」の対極に精神の内にすべてを包摂(ほうせつ)するような「思弁的観念論」を置き、その中間に二つの相関主義を位置づけるのだ。上のように図解してみるとわかりやすいだろう。

メイヤスーによると、「弱い相関主義」はカント、「強い相関主義」はハイデガーやウィトゲンシュタイン、「思弁的観念論」にはヘーゲルやニーチェなどの思想が対応している。このうち「強い相関主義」を通じて、自分の思弁的唯物論へ至る道を考えようというのがメイヤスーの戦略である。

だが、そもそもこうした相関主義の区分けについてさえ、思弁的実在論者たちの中で、コンセンサスが得られているわけではない。たとえば、ハーマンは次のように批評している。

メイヤスーの主張では、二つ（強い相関主義と思弁的観念論、引用者注）の違いは次の点にある。思弁的観念論では、思考の外で物を思考できないがゆえにこの物は存在できないと推量されるのに対して、強い相関主義者は、単に私たちが思考できないからといって、物が存在できないと結論するいかなる理由もないと主張する。私が見るかぎり、この区別は失敗している。強い相関主義者は観念論を免れることはできていない。これをなしうるのは弱い相関主義のみであり、これこそまさしくOOO（オブジェクト指向存在論、引用者注）が、メイヤスーの優遇する強い相関主義よりも、むしろ弱い相関主義と呼ばれているものをラディカル化する理由である。（『思弁的実在論入門』）

ここで確認しておきたいのは、メイヤスーとハーマンのいずれが正しいのか、ということではない。思弁的実在論が相関主義を批判するといっても、それぞれのメンバーにおいて相関主義の理解は一様ではなく、さらにはその乗り越え方も異なっているということだ。

メイヤスーの戦略

思弁的実在論の他のメンバーについてはあとで見るとして、まずはメイヤスーの議論を確認しておこう。その鍵となるのが、「絶対的なもの（un absolu）」という概念である。

もともとこの言葉は、ヘーゲルをはじめ多くの哲学者が使っているが、基本的な意味は

「他から切り離されている」ということである。他のものと比較することは「相対化」と言って、他のものと関連づけられることを「相関的」と言う。逆に言うと、他のものとは独立にそれ自体で存在する場合、「絶対的」と言われる。

> 絶対的なものとは、思考への結びつきを解かれている（これこそ*absolutus*の第一の意味である）もの、思考から分離されているがゆえに私たちに非－相関的なものとしてそれみずからを私たちに差し出すものであり、私たちが存在しようがしまいがお構いなく存在しうるものである。……したがって、私たちは、絶対的なものを認識するという要請と改めて関係を結ばねばならない……（『有限性の後で』）

だが、非－相関的な「絶対的なもの」を認識するなどということが可能なのだろうか。すでに確認したように、このときメイヤスーが突破口とするのは「強い相関主義」である。「相関主義」を批判しているにもかかわらず、なぜ「強い相関主義」が突破口となるのか。このことを理解するために、思考と世界、それ自体という言葉を使って、「素朴実在論」と「弱い相関主義」と「強い相関主義」のそれぞれを図式化すると、左のように示すことができる。

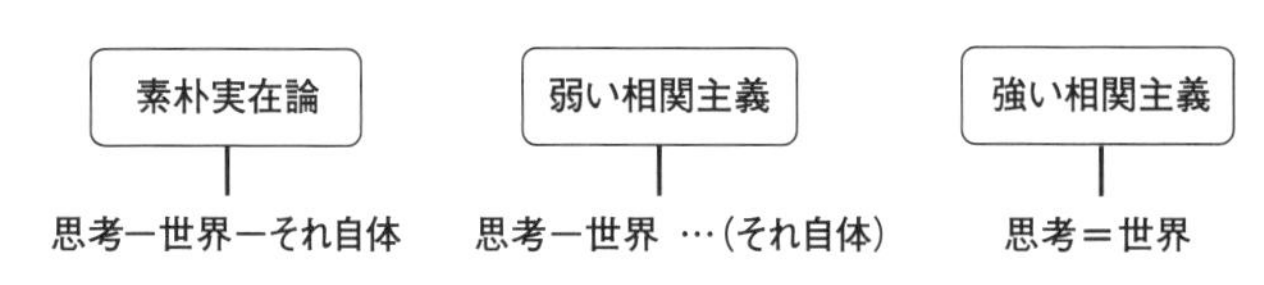

それぞれの立場において、思考可能なもの

メイヤスーによると、「強い相関主義」の場合、一体化した「思考＝世界」以外には何もなく、それ（「思考＝世界」）を理由づけるような「それ自体」は存在しない。言いかえると、「強い相関主義」の「思考＝世界」は「絶対的なもの」である。メイヤスーはこれを「事実性」と呼び、「表象に世界が与えられているという事実そのもの」と表現している。

「事実性」のポイントは、それ（「思考＝世界」）を根拠づけるような他のものがないことだ。カントのような「弱い相関主義」は、「物自体」を認識できないが、思考できる。ところが、「強い相関主義」は思考することさえできないと言う。つまり、「思考＝世界」があること（「事実性」）は言えるが、その理由（根拠）を説明できないわけである。

そのため、「思考＝世界」は、「なぜ他のものはなく、こうであるのか」という理由や必然性を示すことができない。こうした在り方を、メイヤスーは「非理由律（ひりゆうりつ）」と呼んで、次のように説明している。

> いかなるものにも、今そうであるように存在し、そうであり続ける理由はないのであり、すべては、いかなる理由もなく今そうである

ようではなくなりうるのでなければならない、……あるいは別様になりうるのでなければならない。……非理由律は、反対に、無仮定的であるのみならず、また絶対的であることが明らかな原理である。（前掲書）

だとすれば、メイヤスーの戦略は、「『強い相関主義』から『事実性（非理由律）』を通って絶対的なものへ」という形でまとめることができるだろう。彼は次のように述べている。

いまや私たちは、相関的循環を抜け出したとみずから認めてもよい。……事実性を通じてのみ、私たちは、絶対的なものへ向けての道を開削することができるのである。（前掲書）

数学、科学との関係

あらかじめ注意しておくと、思弁的実在論が相関主義批判という点で一致していたからといって、その後のメンバーの主張がすべて同じだったわけではない。むしろ、容易に調整できないような対立が、そこから結果的に生みだされてしまった。

そのことを確認したうえで、メイヤスーの考えを見てみよう。『有限性の後で』を読めばすぐわかるのは、「科学」とりわけ「数学」に対する強いコミットメントである。たとえば、非‐相関的な世界を想定しながら、メイヤスーは次のように問いかけている。

> 私たちの問題は次のようになる。人間のいない世界、現出に相関しない物や出来事で満ちた世界、世界への関係と相関しない世界、こうした世界が数学的言説によって記述可能になるのは、どうしてなのか。ここに、私たちが直面しなければならない謎がある。(『有限性の後で』)

メイヤスーによると、もともとカント(相関主義)以前の数学や近代科学は、「人間から分離可能な世界を開陳するという、……数理科学の能力」をそなえていた。その点で、数学や科学は「絶対的なもの」にアクセスできる、と見なされていたのである。だからこそ、彼は次のように明言する。

> 数学的に処理可能なものが絶対的であるということが含意するのは、思考の外側に事実的な何かが実在するという可能性であり、……近代科学は、私たちの世界すべてを数学的に定式化しなおすための、仮説的ではあるが思弁的な射程を私たちのうちに発

見したのである。(前掲書)

ここからメイヤスーが思弁的実在論として何を考えていたのか、わかるのではないだろうか。人間の心から独立して存在する世界、これを捉えることができるのは科学的言説であり、とりわけ数学であるというのが、メイヤスーの考えなのである。

3 それぞれの思弁的実在論

前節では思弁的実在論の代表的人物とされるメイヤスーに光を当てた。しかし、思弁的実在論者はメイヤスーだけではないし、それ以外のメンバーも独自の構想を持っている。そこで本節では、ブラシエ、グラント、ハーマンといった残りの思弁的実在論者たちを取り上げたい。彼らは、いったい何を語ったのだろうか。

ブラシエの科学的自然主義

二〇〇七年にイベントが開催された当初、思弁的実在論としては、とくにメイヤスーに注目が集まった。その著書の序文に、大御所の哲学者アラン・バディウの推薦文もあったことから、メイヤスーの考えが共通見解のように理解されがちだった。

しかし、それから一〇年以上が経過したいまとなっては、そうした理解が一面的だったとわかる。思弁的実在論がそもそも多様な方向へと広がる可能性を持っていたとすれば、メイヤスー以外のメンバーについても、それぞれの考えをあらためて確認しておかなくてはならない。

そこでまず、レイ・ブラシエを取り上げてみよう。ブラシエの場合は、メイヤスーと同じく、数学や科学へのコミットメントが明白で理解しやすいからだ。ただし、数学に傾倒するメイヤスーとは違って、ブラシエは自然科学、とりわけ認知科学を高く評価している。たとえば、イベントの中で、彼は次のように語っていた。

一方で、いわゆる「大陸哲学」の特徴であるような思弁的大胆さ。他方で、特に認知科学に直接かかわるか、これと連続的とみなされるプロジェクトに取り組む英米の心の哲学の興味深い仕事、そしてその特徴である経験科学への実に見事なレベルでの参与、この両者のあいだに何らかのコミュニケーションが必要である。(*Collapse*)

こうしたブラシエの姿勢は、二〇〇七年に出版された『ニヒル・アンバウンド（*Nihil Unbound*）』にも明確に現れている。その出版案内には、次のように述べられている。

この本は、英米哲学の改良された自然主義とフランス哲学の反現象学的実在論を結びつけることによって、ニヒリズムをその究極的な結論にまで進めるものだ。科学主義と懐疑論に反してハイデガーとウィトゲンシュタインを結びつける「ポスト分析的」なコンセンサスとは反対に、本書は消去的唯物論と思弁的実在論を結びつける。

この広告文だけではわかりづらいかもしれないが、この本が英米哲学の自然主義・消去的唯物論と、大陸哲学の思弁的実在論を結びつけ、それによってニヒリズムを極限化することを目指している、という大まかな構図は理解できるだろう。ここに、ブラシエ思想の三つの要素が端的に表現されている。すなわち、自然主義、思弁的実在論、ニヒリズムである。

まず自然主義であるが、これは第一章で触れたように、ざっくり言えば自然科学研究にもとづいて哲学を進めることだ。ブラシエは、『ニヒル・アンバウンド』の第一章でセラーズ、チャーチランド、デネットといった分析哲学者の議論を取り上げ、認知科学的な研究の重要性を強調している。この三人の分析哲学者をどう理解するかは別途検討されるべきだが、いずれも心を自然科学的に考える点では、軌を一にしていることがポイントだ。

そのため、ハーマンはブラシエをこう批評している。「この点のみを取り出すなら、彼は、生まれながら科学崇拝に病みつきになった、単なる分析哲学の一兵卒だと呼ばれるかもしれない」（『思弁的実在論入門』）。

では、こうした自然主義がどのように思弁的実在論と結びつき、ニヒリズムを極限化するのだろうか。本人の説明を見てみよう。


ニヒリズムは、世界を無効にし、実在を絶対的自我の相関物へと還元するような、主観主義の病理的な悪化ではない。その反対である。ニヒリズムは心から独立した実在が存在するという実在主義的な確信の不可避的な系なのだ。（『ニヒル・アンバウンド』）

ブラシエによれば、ニヒリズムは実在論の必然的な系（コロラリー）とされる。しかし、心から独立した実在を認める実在論と、そもそも「何もない（nihil）」と主張するニヒリズムがどうして整合的なのだろうか。

ニーチェの定式によれば、ニヒリズムとは「価値」や「意味」がなくなることである。

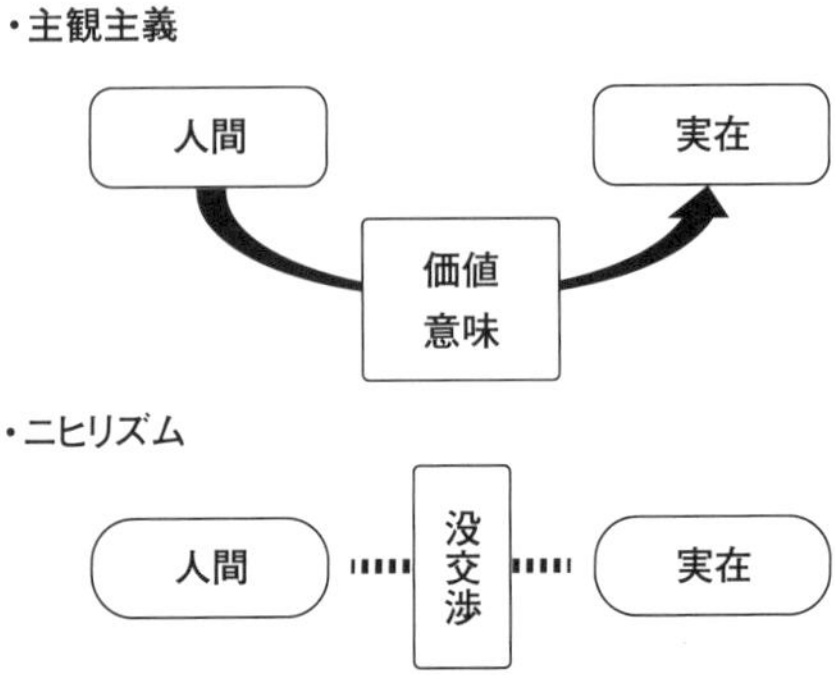

・主観主義

人間　→　価値 意味　→　実在

・ニヒリズム

人間　……　没交渉　……　実在

主観主義とニヒリズムの違い

ところがブラシエによれば、「価値」や「意味」は、人間が実在に覆いかぶせたものにすぎない。そのため、人間が実在に覆いかぶせた「価値」や「意味」が失われたとしても、実在には何の問題もない。こうして実在論とともに、ニヒリズムは成立することになる。

科学的自然主義とニヒリズムを結びつけるブラシエのこのやり方は、やや強引に映るかもしれないが、彼が構想する思弁的実在論においては、そのいずれも排除されないのである。

グラントの観念論的自然哲学

次にイアン・ハミルトン・グラントの思想について、簡単に見てみよう。

グラントはもともと、ドイツ観念論の代表的哲学者の一人であるフリードリヒ・シェリングの研究者であった。二〇〇六年にはその方面の著書（『シェリング以後の自然哲学〔*Philosophies of Nature After Schelling*〕』）も出版している。

しかし、これまで（二〇二二年九月現在）翻訳が出ていないこともあり、彼独自の考えは一部の研究者に知られているだけだった。今後こうした状況は変わっていくかもしれないが、思弁的実在論者としてのグラントが何を考えていたのかは、少なくともここで確認しておく必要がある。

最初に強調したいのは、「自然」が彼の思想の中心にあることだ。これはグラントが、シェリング研究において、とくに「自然哲学」に焦点を合わせていたことからもわかる。しかし、シェリングの自然哲学から離れて思弁的実在論を考えたとき、どうして「自然」が重要になるのだろうか。

二〇〇七年のイベントの中で、グラントは次のように話を始めている。

私が語りたい基本的なことは、自然に関する哲学的問題である。私が思うに、これは思弁にとっての出発点である。……もし自然哲学が一貫して追求されるならば、その結果、私たちが有するアクセスを査定するためではなく、思考を生産するための唯一の手段として思弁が必要となる。（*collaps*）

グラントがこう語るときの「自然」は、同じ「自然」といっても、ブラシエのような認知科学的な自然主義における意味での「自然」ではない。とすれば、いったいどんな「自然」が想定されていたのか。

私たちは思考に先立つ何かがあること、そして思考に先立つもののあいだには複数の依存の層があることを受け入れねばならない。それは単にひとつの物ではない。もろもろの出来事からなる複合的系列の全体である。（前掲書）

「自然」をこうした複合的な系列全体として理解するとき、グラントを「自然の思弁的哲学者」と呼ぶこともできる。一方で、「自然」は思考に先立つと同時に、他方で思考を生産するものでもある。グラントは「思弁は自然の生産性によってもたらされる、と主張したい」と述べている。

そこでグラントの「自然」をまとめると、次の二点が指摘できるだろう。

・グラントにとって自然は、思考と二元論的に対立するものではない。
・自然は思考をも生産する複合的な全体である。

こうした「自然」の理解にもとづいて、グラントは観念論の意味を新たに提案する。すでに述べたように、通常の用法では、観念論は実在論に対立するものと見なされてきた。ところが、グラントは「私（グラント、引用者注）は、観念論がいわば、そう思われてきたものとはどうも違うらしいことを示すことにとても関心がある」として、観念論と実在論を等置しようと試みるのである。

観念論はあらゆる物にかかわる一つの実在論に取り組んでいる、と私には思われる。つまり、自然にも観念（the Idea）にも等しく適用される実在論だ。（前掲書）

もっとも、観念論と実在論が等置可能であることは、すでにヘーゲルが『論理学』で示していた（グラントがこの点を想定していたかどうかは、定かではない）。しかし、こうなってくると、思弁的実在論は思弁的観念論と呼ぶこともできるかもしれない。とすれば、グラントはどうして思弁的実在論にこだわるのか、この点はあらためて検討される必要があるだろう。

ハーマンの反唯物論

最後は、グレアム・ハーマンの思弁的実在論である。ハーマンは、思弁的実在論のスポークスマンとして、わかりづらいこの思想をしばしば解説してきた。そのため、イベントの当初から、メイヤスーとは違った形で注目されてきた。

しかし、そうした解説者としての側面以外に、ハーマン独自の構想にも光を当てなくてはならない。そこで、一人の思弁的実在論者としてのハーマンが、どんな主張を提示しているかを見てみよう。

ハーマンは、彼独自の哲学を「Object-Oriented Ontology」と呼んでいる。これは通常、「対象指向存在論」とか「オブジェクト指向存在論」と訳されるが、ここでは「モノに定位した存在論」と呼ぶことにしたい。その理由は議論の中で明らかになるが、あらかじめ言っておけば、「object」には「対象」とともに「モノ（しかも具体的な事物だけではない）」の意味が含まれており、後者に焦点を当てたいからだ。

語感の違いかもしれないが、「対象」や「指向」という語を使うと、「意識が指向する対象（指向的対象）」という現象学のイメージが払拭（ふっしょく）できなくなる。しかし、ハーマンの意図は指向的対象といった人間との関係を軸にした相関主義を批判することにあるのだから、「対象指向存在論」と訳すと（私には）紛（まぎ）らわしく感じられる。人間との関係ではなく、「モノ」に視点を定めた存在論という意味で、「モノに定位した存在論」と言ったほうがわかりやすいのではないか。

ともあれ、ハーマンが「object = モノ」をどう考えているかを確認してみよう。彼は、次のような説明を与えている。

（「対象 = object」には、引用者注）物理的でない存在者や実在的でない存在者さえ含まれているはずである。ダイヤモンドやロープ、中性子と並んで、軍隊や怪獣、四角い円、そして実在する国や架空の国から成る同盟もまた、対象のうちに含まれうるということだ。こうした対象はすべて存在論によって説明されねばならず、その価値を貶めたり取るに足らないものとみなしたりしてはならない。（『四方対象』）

では、「モノ」に定位することで何が言えるのか。ハーマン自身は、ハイデガーやフッサールに言及しながら説明しているが、もっともシンプルに言えば次のようになるだろう。「近代哲学を主導した思考と世界の区別は、対象と関係の区別に置き換えられねばならない」（『思弁的実在論入門』）。

ハーマンが想定しているのは、人間と世界が、「主観とその対象」といった形でかかわるのではなく、いろいろなモノ（たち）が存在し、そうしたモノ（たち）同士がさまざまに関係したり、関係しなかったりする状況である。

こうした「モノ」のあり方をもっと詳しく論究するには、ハーマンの「四方構造」を押さえておく必要があるのだが、今回はそこまで踏み込まない。その代わり、ハーマンが「モノ」に定位するとき、相関主義批判が念頭に置かれていたことをより具体的に確認しよう。ハーマンはメイヤスーとは違って、カントの「弱い相関主義」を評価している。その理由は、カントが「物自体」を、たとえ認識できないとしても、思考可能なものとして認めていたからである。ハーマンは、カントのこうした「物自体」を、彼の「モノに定位した存在論」の中に取り入れている。

モノに定位した哲学にとって、物自体は人間による把握を永遠に超え出たままである。しかしそれは、とくに人間だけが物自体への到達に失敗するからなのではない。一般に関係は、関係項の把握に失敗するのだ。この意味で、幽霊のような物自体が、人間と世界の関係だけでなく、無生物どうしの因果関係にも取り憑くことになる。人間と世界との関係は、もはや哲学の中心にはない。（「モノへの道」〔The Road to Objects〕）

ハーマンが「物自体」（カント）を擁護したのは、モノの人間からの独立性、あるいは超越性を確保しておきたかったからだ。通常、相関主義ではモノを考えるときに、あくまでも人間との関係だけに限定して考える。

しかし、モノは人間の思惑を出し抜いたり、人間からは手が届かないよう隠れたりすることもある。カントの「物自体」も、こうしたモノの超越性を表現したものだった。人間はモノを支配できるわけではない——。これが相関主義を批判するハーマンの思弁的実在論なのである。

4　人新世の実在論

ここまで思弁的実在論のさまざまな主張を見てきたが、もしかしたら哲学内部の論争にすぎないように思われたかもしれない。しかし、思弁的実在論は、本来、もっと広い視点から理解されなくてはならない思想である。

というのも、彼らが取り組んだ相関主義批判は、根本的には近代を支配してきたヒューマニズム、とりわけ「人間主義」に対する闘いだからである。したがって人間主義批判という観点から、思弁的実在論をあらためて捉え直す必要がある。

アクターネットワーク理論

相関主義批判が人間主義批判になるという意味を理解するうえでヒントを与えてくれるのが、社会学で最近とみに注目されている「アクターネットワーク理論（ＡＮＴ）」である。

この理論の提唱者の一人、ブルーノ・ラトゥールは、一時期ハーマンの師でもあり、二人の理論には密接なかかわりがある。ただし、思弁的実在論の他のメンバーたちと、ＡＮＴとの関係は、必ずしも同様ではない。しかし、ハーマンの「モノに定位した存在論」を考えるうえで、ラトゥールのＡＮＴは参考になるはずだ。

そもそも「アクターネットワーク理論」とはどのようなものだろうか。ラトゥールがその理論を提唱したときに基本としたのは、社会的世界や自然的世界を考える場合、人間（主体）を中心に置いて、その関係の下で他のモノ（客体）を理解しない、ということであった。むしろ、すべてのモノが平等に「アクター」であって、それらが形成する複雑なネットワークを視野に収めなくてはならない。

参考のために、ＡＮＴに関する次のような説明を引用しておこう。

ＡＮＴ理論家たちの基本的主張の一つは、人間と非人間的存在者とがネットワークを形成するうえで対称的であるということである。ネットワークの諸要素は、それらを諸部分とする全体との関係によって条件づけられているにもかかわらず、一般的には互いにどちらかが特権的であるということはない。……ＡＮＴは、対象（モノ、引用者注）、人間、観念、概念、微生物を、ネットワークの機能を平等に共同規定するとともに、このネットワークに依存し、その全体性のなかで結ばれているものとして取り扱う。異種的な諸要素がインタラクトし合うファジーな領域、相互的影響の場所というネットワークのメタファーは、ＡＮＴ理論にとってきわめて重要である……（カーステン・ヘルマン＝ピラート、イヴァン・ボルディレフ『現代経済学のヘーゲル的転回』）

こうした観点から、社会学の見方を根本的に変えようとしたのが、ラトゥールの『社会的なものを組み直す』であった。それによると、「社会的なもの」は、人々を結びつける紐帯（ちゅうたい）（特別な領域）ではなく、むしろ「他の多くの種類の連結装置によってひとつにくっつけられるもの」である。そしてラトゥールは、次のようなことを言い出すのである。

（このように「社会的」という語を広げていくと、引用者注）一見この定義は馬鹿げている。

社会的という語が、化学結合から法的拘束まで、原子間力から法人まで、生物の有機体から政治集会まで、ありとあらゆる種類のまとまりを指すことになれば、社会学が薄っぺらなものになりかねないからだ。しかし、ありとあらゆる種類のまとまりを指すことこそ、この新たな社会理論の一派が指摘したいと望んでいることである。というのも、そうした異種多様な要素は、どれもが、何らかの事態において新たに組み合わさるかもしれないからだ。

人間を中心とした関係ではなく、「ありとあらゆる種類のまとまりを指す」ように「社会的なもの」を組みかえること、これがラトゥールの目指すANTなのだ。ANTのこうした方向性を見ると、思弁的実在論、とくにハーマンの「モノに定位した存在論」と原則的に共通の意図を見出すことができるだろう。

実際、ハーマンは二〇一六年に出版した『非唯物論』の中で、ANTを主題的に論じている。もちろん、そこでは、ANTへの批判的言及もあるが、いずれも人間を特権化せず、すべてのモノをいわば平等に取り扱って、「異種多様な要素」のさまざまな関係を考える点では、対立しているわけではない。

人新世とダークエコロジー

ＡＮＴ理論に関するのと同じことは、自然科学分野の「人新世」という概念にも言える。まず「人新世（Anthropocene）」という概念が今日のような流行語になったのは、第一章でも触れたノーベル化学賞受賞者のパウル・クルッツェンが、二〇〇二年に『ネイチャー』誌に論文「人間の地質学」を発表してからである。

意味としては、一万二〇〇〇年前に始まった「完新世」の次の地質年代を指している。「人間（Anthropo）＋世（cene）」という言葉の成り立ちからわかるように、人間が地球に対して大きな影響を持つ時代という意味だ。

基本的には、地球温暖化をはじめとしたさまざまな環境的な危機に直面したことで、このような概念が必要とされた。しかしこの概念は、最初から曖昧さを伴っていて、容易には解決し難い混乱を生み出している。

たとえば、そもそもいつから人新世が始まるのか、という素朴な疑問を考えてみよう。二一世紀になってからか、第二次世界大戦後か、あるいは産業革命からか、農業革命後かといったように諸説あって、一義的に決まっていない。

これだけでも途方に暮れるが、そもそも人新世という概念が、科学的な概念なのか、それとも単なるレトリックにすぎないのかさえ、しばしば議論になるのだ。というのも、この概念は自然科学のみならず、哲学をはじめとする人文系の書物の中にまで登場するからである。

たとえば、思弁的実在論者の一人であるティモシー・モートンは、人新世という言葉を使って、「エコロジー論」を展開している。ところが、そのエコロジー論を見ても、人新世にどんな実践的態度をとったらいいのかははっきりしない。

そこで思弁的実在論と、人新世がいったいどのような関係にあるかを整理してみよう。人新世は、地球が人間によって大きく変容させられる、という意味で人間中心主義を表した概念であるように見える。これに対して思弁的実在論は、相関主義批判という形で人間中心主義を批判している。図解すれば、上のようになるだろう。

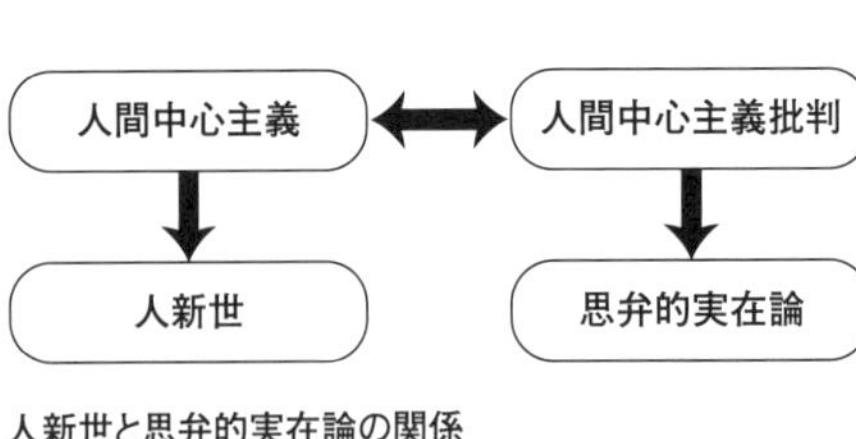

人新世と思弁的実在論の関係

図上でも、思弁的実在論と人新世は対立するように見える。とすれば、思弁的実在論者にとって、人新世は相関主義のように乗り越えられるべきものなのだろうか。だが、人新世はあくまでも一つの地質年代にすぎない。ならば、それを乗り越えようとすることに、そもそも意味があるのだろうか。

モートンのエコロジー論を例にとってみよう。彼は、二〇一八年に公刊した『エコロジカルであること（*Being Ecological*）』において、人新世を「公的にはその開始が一九四五年に日付けられている」と述べたうえで、それを地球の歴史で起こった「大量絶滅」と関係づけている。

これまで、「地球上の生命史では、五回の大量絶滅が起こってきた」。よく知られている恐竜の絶滅は、五回目の大量絶滅だ。そして、そしていま進行しているのが、六回目の大量絶滅だという。つまり、人新世とは、六回目の大量絶滅の時代なのである。

では、モートンは進行中の「大量絶滅」に対して、どのような戦略で立ち向かおうというのか。彼は、ハーマンの「モノに定位した存在論」を援用しながら、「ダークエコロジー」という考えを提唱している。ダークエコロジーは、「人間中心主義的なエコロジー」でもなければ、「牧歌的な美しい自然を求めるエコロジー」でもない。だとすれば、どこがエコロジーなのか。何が「ダーク」なのだろうか。

それは人間であれ、非人間であれ、あらゆるモノのうちのどれかを特権化しない、という意味である。なぜなら、それらを完全に捉えつくすことなどできないからだ。モノたちの共存を理解するには、明るく輝く光の下ではなく、むしろほの暗い光によるしかない。「光そのものは直接現前するわけではなく、はっきりと取り押さえたり、完全に照らし出したりすることができない」というわけである。ここに、「ダーク（暗い）エコロジー」と呼ばれる理由がある。

もっとも、ダークエコロジーでは、モノたちが共存するといっても、「ホーリズム（全体論）」のように、それぞれのモノが調和的に結びついて全体を形づくるとは考えない。モノたちの共存は、環境保護論者がしばしば理想化するような美しい「自然」とはならない。なぜなら人新世は、大量絶滅の時代だからである。

ここまでの議論を踏まえて、人新世という概念をもう一度見てみよう。先に人新世は、地球が人間によって大きく変容させられる、という意味で人間中心主義を表した概念のように見えると述べた。他方で、人新世が人間の絶滅を想像するものだとすれば、この概念を思想の中心に据えることは、それだけで非人間中心主義的であるとも言える。

このとき誤解してはならないのは、非人間中心主義な人新世という概念を思想の中心に据えているからといって、モートンのダークエコロジーが「人間」の絶滅を望むものではないということだ。

人間中心主義に反対することは、私たちが人間を憎んだり、私たち自身が絶滅することを望んだりしている、というようなことを意味してはいない。それが意味するのは、私たち人間が、どのように生命圏に組み込まれ、他のモノたちの間に存在するモノとなるかを理解することである。（『エコロジカルであること』）

この引用から明らかなように、人新世という大量絶滅の時代に、他のモノたちとの共存を見届けることが、モートンのエコロジー論なのである。ここでは、人新世を批判して、そこからいかに脱出するかといった政治的プログラムは最初から意図されていない。

絶滅から考える

モートンのエコロジー論に即して、「人新世」概念を考えるなかで、大量絶滅の問題が浮上した。しかし、絶滅の問題は、思弁的実在論においては当初から、根本的な問題として取り扱われていた。というのも、思弁的実在論者たちは、人間の絶滅を相関主義に対する根本的批判と考えていたからである。

たとえば、メイヤスーは相関主義の外をイメージするため、「思考、ひいては生命の出現に先立つものとして提起された――すなわち世界へのあらゆる形での人間的関係に先立つものとして提起された――世界」について言及している。

人間という種の出現に先立つ――また、知られうる限りの地球上のあらゆる生命の形に先立つ——あらゆる現実について、祖先以前的［*ancestral*］と呼ぶことにする。（カンタン・メイヤスー『有限性の後で』）

「祖先以前的」な世界が想定できるとすれば、もちろん人間が絶滅したあとの世界も想定可能だろう。実際、メイヤスーは次のように明言している。

人類が出現する以前の出来事に関わる言明だけでなく、人類の消滅以後において可能な出来事に関わる言明もまた、そこでは問題となる。というのも、たとえば地球上の全生命を滅ぼす隕石の衝突についての気象学・地質学的な帰結をめぐる仮説が、そもそもいかなる意味の条件にもとづいているのかを規定しなければならない場合に……（前掲書）

ここからわかるのは、相関主義批判は、実際には人間との相関的な世界からの脱却であり、すなわち人間主義、人間中心主義への根本的批判になるということである。

フーコーによれば、「人間」主義は、カントによって開始された。そして、人間の主観性によって世界が構成されるという、カントの超越論的哲学こそが、相関主義を生み出したのである。思弁的実在論が絶滅という概念で相関主義を批判すれば、とうぜん「人間主義」や「人間中心主義」をも批判することになる。

ブラシエは、メイヤスーの「祖先以前性」を念頭に置きながら、次のように語っている。

> 絶滅は、人類以前性とは正反対の位置にある、事後性の徴候である。……人類以前性という概念がもたらす前提だけでは、相関主義の強弁を失墜させるのに十分でない。……なぜなら、人類以前に存在した時間と、人間中心的な時間のあいだに想定される両立不可能性は、それでもなお、相関主義が我が物とするクロノロジカルな枠組みを想定しているからだ。ゆえに、人類に先立つ先行性は、あまりにもたやすくわれわれにとっての先行性へと変換されてしまうだろう。それとは対照的に、絶滅の事後性は、それを「われわれにとって」の相関物へと変えるところのロジカルな手直しの余地など微塵も残さないような、ある物理的な消滅を示すものである。(『ニヒル・アンバウンド』)

文章そのものはわかりやすいとは言えないが、メッセージは理解できるだろう。「絶滅はこれから相関関係を終焉させるものではなく、すでに遡行的な仕方で相関関係を終焉へと至らしめていたのだ」ということなのだ。

もちろん、現時点で人間は絶滅しているわけではない。むしろ、絶滅を考えるのは、絶滅から「遡行的な仕方で」相関主義の終わりを構想するためである。相関主義を批判し、人間中心主義を拒否するには、絶滅がテーマとならなくてはならない。思弁的実在論は、まさにこの点で人新世と共通のバックグラウンドを持っているのである。

以上、思弁的実在論のさまざまな展開を見てきたが、そこから何がわかるだろうか。三つほど挙げてみよう。第一に、思弁的実在論が相関主義を批判するのは、主体としての人間を排除したかったためである。第二に、思弁的実在論は、人間を特権化することなく、すべてのモノの平等性に立って、存在論を展開しようとしている。第三に、人間の永続化を求めることなく、人間の消滅や絶滅をも視野に入れて考察している。

かくして、思弁的実在論の本質はポスト・ヒューマニズムにある、と言えるだろう。多様な形で展開されている思弁的実在論は、それぞれに異なった主張を行っているものの、近代的なヒューマニズムを超えようとする点で、共通の道を歩んでいるのである。

第三章　加速主義はどこに向かうのか

思弁的実在論が最初に表明されたのは、二〇〇七年のイベントだったが、その起源を考えるともっと前まで遡ることができる。主要なメンバーのブラシエやグラントは、一九九〇年代にニック・ランドが主宰していた「CCRU（サイバネティック文化研究ユニット）」に参加していた。このユニットの活動を見ると、それが思弁的実在論のスタイルに影響を与えていたことがわかる。

思弁的実在論は、最初のイベントから間もなくして分裂し、二〇〇九年のイベントには代表格のメイヤスーは参加しなかった。そのころ、他のメンバーの周辺では、「加速主義」への関心が湧き起こっていた。二〇一〇年には、思弁的実在論の最初のイベントが開催されたロンドン大学ゴールドスミス校で、加速主義をめぐるイベントが行われている。これには、ブラシエやグラントが参加し、さらにより若い世代も集っている。

もともと加速主義というのは、ニック・ランドの思想的傾向を表すものだったが、その名称が使われるようになったのは、この二〇一〇年のイベントからと言ってよい。ベンジャミン・ノイズが著書の中で否定的に命名したものが、これを機に積極的に使われるようになったのである。

こうした流れを見ると、加速主義は思弁的実在論の源流であると同時に、発展形であると見なすこともできるだろう。しかしながら、加速主義といっても、その内容は思弁的実在論以上に外部からは見えにくいものになっている。発信の仕方もインターネットが中心となり、そこで具体的な状況に応じた議論が都度展開されるため、全体の文脈がわからないと個々の主張が何を意図するのかが、必ずしもはっきりしないのである。

そこで第三章では、加速主義の背景がわかるように、それぞれの思想家たちの関係を必要に応じて論じる。また、現在進行中の思想なので翻訳されていない文献が多く、簡単な紹介も行うこととした。

まず第1節では思弁的実在論の起源としてCCRUの活動を取り上げ、第2節では加速主義の系譜を、第3節ではニック・ランドの「暗黒の啓蒙」についてその意義を明らかにする。第4節では、「資本主義的実在論」のマーク・フィッシャーと、左派加速主義のニック・スルニチェク、アレックス・ウィリアムズを取り上げ、加速主義の新たな可能性を探っていくこととしたい。

1 ニック・ランドという源流

この節では、思弁的実在論の源流として、ニック・ランドに光を当てることにしたい。

ランドは一九八〇年代後半から九〇年代に、ウォーリック大学で哲学を教える一方で、CCRUという研究ユニットを大学内で主宰していた。

このユニットには、ブラシエやグラントだけでなく、あとで紹介するマーク・フィッシャーも参加していた。しかし、ランドはのちに大学を辞し、このユニットからも離れていく。ここではCCRUの活動に焦点を絞り、その影響力を確認していきたい。

ランド思想の魅力

これまでは、思弁的実在論を考えるとき、一般的に二〇〇七年のイベントを始点とすることが多かった。たしかに名称としてはその通りである。そのため表面的に見ると、思弁的実在論はとつぜん誕生したかのように感じられてきたのだ。

しかしながら、この理解は一面的と言わざるをえない。というのも、思弁的実在論には、それに先立つストーリーがあるからだ。しかもそれは、彼らが分裂したあとも大きな影響を与えている。

そのストーリーで主人公となるのは、ニック・ランドという天才的な哲学者である。彼が天才であるゆえんは、発想のユニークさと徹底性にある。そのため彼は、狂気と表裏一体のような人生を歩み、熱狂と憎悪とを共に生み出すことになった。最近の行儀のよい哲学者と比べると、彼の思想は破綻（はたん）しているように見えるだろう。しかし、むしろそこにランド思想の魅力を感じる人も少なくない。最近の彼の思想については、第3節で論じることにして、まずは思弁的実在論との関係から見ておこう。

ニック・ランドは、一九六二年イギリス生まれの哲学者で、一九八七年から九八年までウォーリック大学で講師として大陸哲学を教えていた。注目すべきは、このときの教え子の中に、思弁的実在論のメンバーだったブラシエとグラントがいたことである。彼らがランドからどう具体的な影響を受けたのかは、大いに検討されるべきだ。

だが少なくともこの時点で、思弁的実在論がランドの思想圏から生まれたということは確認できる。たとえば、一九八八年に発表されたランドの「カント、資本、近親相姦の禁止（Kant, Capital, and the Prohibition of Incest）」という論文では、次のように語られている。

> 私は近代の条件を述べたい。……近代との関係において哲学が行なう仕事は、近代を特徴づけている思考のタイプを明確にして、それに挑戦することである。……したがって、啓蒙のパラドックスは、根源的な他者との安定的な関係を定着しようとする試みのうちにある。というのは、他者が関係性の内部にしっかりと置かれているならば、それはもはや完全なる他者とは言えないからだ。（『牙のある精神』〔*Fanged Noumena*〕）

相関主義という言葉は使われていないが、ランドがカントを近代や啓蒙と結びつけ、その思考のタイプに挑戦することを目指しているのは明らかだろう。とりわけ、近代の啓蒙のパラドックスが他者であるものを関係性の内部に置こうとすることだ、と表現しているところに注目したい。これは、思弁的実在論による相関主義批判の先駆的な形態と考えることができる。

この点については、ランドの論集を編集したブラシエが、編集者序文で次のようにはっきりと述べている。「ランドの作品は、カンタン・メイヤスーが現在『相関主義』と名づけたものの、現代的な批判的診断を先取りしている」(前掲書)。

では、こうしたカント主義批判のあと、ランドはどこに向かおうとしていたのか。ランドにとって導きの糸になっていたのは、ドゥルーズとガタリの『アンチ・オイディプス』だった。ランドは、一九九四年に発表した論文「メルトダウン」において、そこから次の文章を引用している。

どのような革命的の道があるというのか。それはひとつでも存在するのか。それは、サミール・アミンが第三世界の国々にすすめているように、世界市場から退いて、ファシスト的な「経済的解決」を奇妙にも復活させることなのか。そうではなく逆の方向に進むことなのか。すなわち市場の、脱コード化の、脱領土化の運動の方向にさらに遠くまで進むことなのか。というのも、おそらく、高度に分裂症的な流れの理論や実践の観点からすれば、もろもろの流れはまだ十分には脱領土化してもいないし、脱コード化してもいないからである。過程から身を引くことではなくて、もっと先に進むこと。ニーチェがいっていたように、「過程を加速すること」。ほんとうは、このことについて私たちはまだ何も理解してはいないのだ。(『アンチ・オイディプス』)

「脱領土化」「脱コード化」「分裂症」といったドゥルーズ＝ガタリの用語に慣れていなくても、この文章を引用したランドの意図は、容易に読み取ることができるだろう。欲望に規制をかけ、動きを減速させることではなく、むしろニーチェが言うように「過程を加速すること」――ここには、すでに加速主義が明確に表現されている。

加速主義と思弁的実在論

ニック・ランドの初期の活動を考えるとき、忘れてはならないのが、ＣＣＲＵ（サイバネティック文化研究ユニット）という組織である。もともとは、彼の同僚のサディ・プラントが一九九三年ごろに立ち上げたものだが、一九九五年からランドが主導的な役割を担うようになった。この組織はあくまで学生主体の非公式的なものであり、大学からは認められていない。

このユニットを理解するには、次の記述が参考になるだろう。多彩な人材が集まったことがよくわかるので、紹介しておきたい。

このCCRUに当時関わっていたメンバーとしては、のちに批評家として活動し、著書『資本主義リアリズム』などで知られるも二〇一七年に自裁したマーク・フィッシャー、思弁的実在論のプレイヤーとしても知られることになるイアン・ハミルトン・グラントとレイ・ブラシエ、出版社アーバノミックの編集ディレクターを務め、加速主義や思弁的転回にまつわる動向の紹介を積極的に行っていくこととなるロビン・マッケイ、Kode9名義で活動し、ゼロ年代のダブステップ・シーンを牽引するレコード・レーベルHyperdubの創始者としても多大な影響力を誇ることとなるスティーヴ・グッドマン、アフロフューチャリズムの理論家として知られるコドヴォ・エシュン、セオリーフィクションなる散文ジャンルを開拓し、哲学とフィクションとを隔てる境界を越境してみせた哲学者兼作家のレザ・ネガレスタニ、デジタルメディアと身体の関わりについての理論を展開するルシアナ・パリシ、といった錚々たるメンバーを挙げることができる。（木澤佐登志による『暗黒の啓蒙書』序文）

この研究ユニットでは、哲学はもちろんのこと、ＳＦやオカルティズム、クラブ・カルチャー、音楽といった学際的な活動が扱われていた。その中心として、ニック・ランドはカリスマ的な力を発揮していたのである。しかし、このＣＣＲＵの活動の中で何よりも注目したいのは、その特有のスタイルである。

ＣＣＲＵの哲学的実践はアカデミズムの内部ではなく、むしろその外部において影響力を持っていた。ＣＣＲＵは半匿名的な集団であり、ウェブサイトを通じてメンバーによる無署名の、かつ造語が溢れた暗号的なテキストを定期的に発表していたが、そこで言及された対象のひとつにたとえばテクノミュージックないしはクラブカルチャーがあった。（木澤佐登志『ニック・ランドと新反動主義』）

こうしたＣＣＲＵの活動スタイルを見ると、思弁的実在論と類似しているのがわかるのではないだろうか。つまり、アカデミズム内部の活動というより、インターネット上での

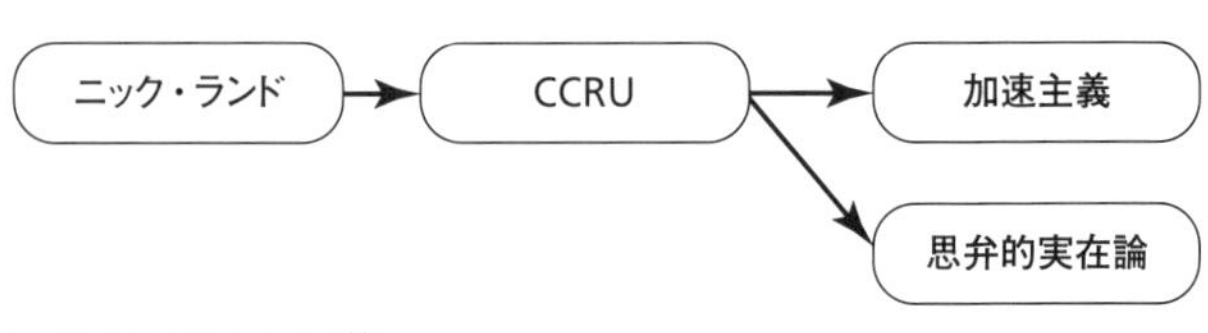

ニック・ランドが与えた影響

発表が中心であり、特定の専門分野ではなく、多方面への影響を志向している。

だとすれば、思弁的実在論について、一つの見方が可能だろう。それは、CCRUから分かれた一つのグループであって、全体としてニック・ランドが敷設した路線からは離れていない、と。そこでニック・ランド、CCRU、思弁的実在論の関係について、上のような図ができ上がる。

このように、のちに強い影響を与えたにもかかわらず、ランドは一九九八年で大学を辞職し、CCRUへの主導的なかかわりもなくなった。そこに参加していたロビン・マッケイによれば、その後「CCRUは疑似カルト的、疑似宗教的なものになった」という。とすれば、ランドがCCRUを離れるころには、CCRUの歴史的使命も終わっていたのかもしれない。

その後の展開

ウォーリック大学を辞めた後、ランドは中国の上海(シャンハイ)へと移り住み、

それぞれのイベントの内容と、その参加者

イベント	参加者
2007年 ロンドン大学 思弁的実在論	メイヤスー、ハーマン、ブラシエ、グラント
2009年 西イングランド大学 思弁的実在論/思弁的唯物論	ハーマン、ブラシエ、グラント、トスカノ
2010年 ロンドン大学 加速主義	ブラシエ、ロビン・マッケイ、 マーク・フィッシャー、ベンジャミン・ノイズ、 ニック・スルニチェク、アレックス・ウィリアムズ

出版社であるアーバナトミー社の編集者となった。しかし、そこでの活動の詳細はわかっていない。

その後、彼が再び注目を浴びるようになったのはなぜかというと、二〇一〇年にロンドン大学のゴールドスミス校で、加速主義についてのシンポジウムが開催されたからだ。二〇〇七年に、思弁的実在論のシンポジウムが開催されたのと同じ場所で、今度は加速主義がテーマになったのである。

思弁的実在論の二回目のイベントは、二〇〇九年に西イングランド大学ブリストル校で開催されたが、前述のようにメイヤスーは参加しなかった。そこで、これら三つのイベントを表にしてみると、加速主義のイベントが、むしろ思弁的実在論の発展だということがよくわかる。

二〇一〇年のイベントには、ニック・ランドの初期の論文を集めたアンソロジー『牙のある精神

(*Fanged Noumena*)』と、ベンジャミン・ノイズの『否定的なものの持続性(*The Persistence of the Negative*)』の出版を記念する意味もあった。

もっともランド自身がこのイベントに参加したわけではなかった。だが、このイベントをきっかけに、加速主義という名称とともにランドの名前が再び注目されるようになったのは事実である。また、すでに述べたようにノイズも加速主義という名称を、このときの著書の中ではじめて使っている。

シンポジウムに登壇したのは、レイ・ブラシエ、ロビン・マッケイ、マーク・フィッシャー、ベンジャミン・ノイズ、ニック・スルニチェク、アレックス・ウィリアムズであった。このうちブラシエとマッケイはランドのアンソロジーを編集し、マッケイは編集者として思弁的実在論や加速主義の本を多く手掛けている。さらにノイズやフィッシャー、スルニチェクやウィリアムズは、加速主義の哲学者として最近名が知られるようになってきた。彼らの思想については、あとで確認しよう。

ランドの思想とともに加速主義という名称が流通し始めたころ、ランドは二〇一二年の三月から七月にかけてブログ上で画期的な論稿を発表する。これが後に、『暗黒の啓蒙書』としてまとめられるものである。この仕事によって、ランドは以前にもまして世界的に注目されることになった。その理由はどこにあるのだろうか。

それは、『暗黒の啓蒙書』で繰り広げられた議論が、現代アメリカの政治状況と呼応していたからである。二一世紀になってアメリカで勢力を持ち始めた政治思想として、「ネオリアクショニズム（新反動主義）」と呼ばれるものがある。

これは最近トランプ政治と結びついたことで有名になったが、思想的には「自由至上主義」とも訳される「リバタリアニズム」にもとづいている（これを経済的側面から見るとネオリベラリズム〔新自由主義〕と呼ぶ）。とくに、シリコンバレーの著名人ピーター・ティールの考えとも呼応して、広く注目されるようになった。

こうしたアメリカの政治思想に、ランドの加速主義が影響を与えているのだ。しかしながら、ランドの加速主義がいかに新反動主義と結びつくのか。これを理解するには、『暗黒の啓蒙書』の内容を検討しなくてはならない。だが、その前に加速主義の思想的系譜をまず見ておこう。

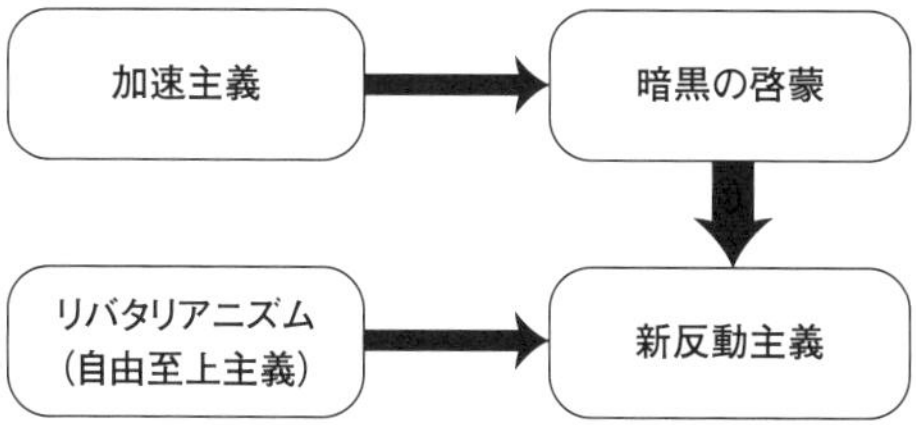

加速主義 → 暗黒の啓蒙

暗黒の啓蒙 ↓ 新反動主義

リバタリアニズム（自由至上主義） → 新反動主義

新反動主義の思想的位置づけ

2　加速主義は新しい思想か

加速主義は、思弁的実在論が分裂したあと、新たな思想として紹介されるようになった。加速主義という名称が使われるようになったのは二〇一〇年ごろからで、まだ一〇年ほどしか経っていない。だが、加速主義的思想は、じつはマルクスをはじめとして以前から唱えられていた。そこで、この節では、加速主義の系譜をあらためて取り上げるとともに、ランドやそれ以後の加速主義の行方を展望したい。

「加速主義」という名称

まず二〇一四年に出版されたアンソロジー『加速主義読本（*#Accelerate*）』を取り上げ、そもそも加速主義をどのように理解すべきか、説明することにしよう。

最初に確認しておきたいのは、「加速主義（accelerationism）」に関連する語がはじめて使われたのは、ＳＦ作家ロジャー・ゼラズニイが一九六七年に発表した小説『光の王』だったことである。その小説では、革命的変革を求めるグループが、神々が独占していたテクノロジーを開放することで社会を「より高いレベル」へ進めようとする。その集団をゼラズニイは、「加速主義者」と呼んだのである。

次に、この言葉を思想として最初に取り上げたのは、ベンジャミン・ノイズが二〇一〇年に出版した著書『否定的なものの持続性』だった。ただし注意したいのは、ノイズがこれを批判的な概念として使ったことである。そのとき、ノイズが想定していた対象は、ドゥルーズ＝ガタリの『アンチ・オイディプス』、リオタールの『リビドー経済』、ボードリヤールの『象徴交換と死』などである。

ノイズは、次のように書いている。

もし資本主義が自身を溶解させる力をみずから生成するのだとしたら、必要となるのは資本主義それ自体をラディカライズさせることである。すなわち、悪くなればなるほど、よくなる。我々はこの傾向を加速主義と呼ぶ。（『否定的なものの持続性』）

ノイズの本が出版されたのは二〇一〇年である。前述のように、この同じ年に加速主義に関するシンポジウムが開催された。このシンポジウムはランドのアンソロジー出版記念であると同時に、ノイズの著書の出版記念を兼ねていた。そのため、これ以後シンポジウムに参加した他のメンバーも加速主義という言葉を使うようになり、社会的にも加速主義という概念が広がっていったのである。

したがって、加速主義の始まりは、二〇一〇年と考えてよい。それ以前にもテーマとしてはあったが、この年を境（さかい）にして、加速主義という名称が一挙に使われるようになったからである。

こうしたトレンドを決定的にしたのが『加速主義読本』だった。その本の序論として、編集者であるロビン・マッケイとアルメン・アヴァネシアンが解説を書いている。そこで彼らは加速主義を次のように定義している。

加速主義は政治的異端である。その主張はこうである。資本主義に対する唯一のラディカルな応答は、それに抵抗することでも、それを中断することでも、批判することでもなく、また資本主義が自らの矛盾によって崩壊するのを待つことでもない。唯一のラディカルな応答とは、資本主義の根を奪い、疎外し、脱コード化する抽象的な諸傾向を加速することである、と。（「『加速主義読本』序論〔抄〕」小泉空訳『現代思想二〇一九年六月号』）

ここからわかるように、加速主義が問題にするのは、資本主義社会にどういう形でかかわっていくかである。しかし、その戦略が異端というのは、なぜだろうか。ポイントは二つに集約できるだろう。

まず一つは、資本主義社会からの出口を求めている点である。これは簡単なように見えて、意外と難しい。というのも、保守的な人は言うにおよばず、革新的と言われる人でさえ、現代では資本主義の外を目指すことが少ないからだ。

もう一つは、資本主義に対抗するとき、その矛盾を批判したり、抑制しようとしたりしない点である。たとえば、仕事の中で、あるいは他人との関係で、さらには自分自身に対して「疎外」（ヘーゲル、マルクス由来の概念で、自己自身から疎遠になること）を感じたら、どうするだろうか。ふつうは、「生き甲斐」や「人間性」を回復することで解決を目指すかもしれない。ところが、加速主義はそうした一時的な気休めを拒否し、むしろ資本主義が生み出す「疎外」をいっそう進めようとするのである。

こうした戦略は、必ずしもわかりやすいものではない。そこで、加速主義の思想的な系譜をたどりながら、それが資本主義にどうかかわるのかを、もう少し詳しく確認することにしよう。

マルクスにおける加速主義

出発点として、マルクスの思想を考えてみたい。『共産党宣言』において、社会的発展に対するマルクスの基本的スタンスが、「抑制」ではなく「加速」にあることはよく知られている。たとえば、次のように語られるとき、けっして否定的な意味合いはない。

ブルジョア階級は、かれらの百年にもみたない階級支配のうちに、過去のすべての世代を合計したよりも大量の、また大規模な生産力を作り出した。自然力の征服、機械装置、工業や農業への化学の応用、汽船航海、鉄道、電信、全大陸の耕地化、河川の運河化、地から湧いたように出現した全人口——これほどの生産諸力が社会的労働のふところのなかにまどろんでいたとは、以前のどの世紀が予感しただろうか？（マルクス／エンゲルス『共産党宣言』）

マルクスにとって、社会変革の原理は、社会で生み出された生産力を抑制することではなく、もっと加速させることにあった。『資本論』の中で語られる「資本主義の終わり」の記述も、この観点から理解しなくてはならない。

資本制的私的所有の終わりを告げる鐘が鳴る。収奪者たちの私有財産が剝奪される。資本制的生産様式から生まれた資本制的な所有化の形式である資本制的な私的所有は、自分自身の労働に依拠していた、それまでの個人的な私的所有に対する最初の否定である。しかし、資本制的生産は、自然過程と同じ必然性によって自己自身の否定を生み出す。これは否定の否定である。この否定は私的所有を再び立て直すことはしないが、資本制的時代の成果を基盤として個人的所有を作り出す。すなわち、協同作業と土地の共同所有、また労働を通じて生み出された生産手段の共同所有によって、個人所有を生み出す。(マルクス『資本論』)

ここでマルクスが示しているのは、新たな社会が「資本制的時代の成果を基盤として個人的所有を作り出す」ことである。資本主義で達成されたもの、それを基盤として、資本主義で否定された「個人所有を生み出す」わけである。これは、資本主義を抑制することではなく、むしろ加速化することによってしか可能ではない。

こうした観点は、機械化に対するマルクスの態度にも、はっきり表れている。周知のように、マルクスが目撃していた一九世紀の時代には、労働過程に機械が導入され、失業者が増加するという事態が進行していた。

労働手段は機械になったとたんに労働者自身の競争相手になる。機械による資本の自己増殖は、機械によって生存条件を破壊される労働者数と正比例する。……道具の操作が機械に奪われると、……労働者は、通用しなくなった紙幣と同様、売れなくなる。

（前掲書）

このため社会運動として、労働者たちが機械を打ち壊す「ラッダイト運動」が起こっていた。機械の導入によって、労働者たちが失業するとすれば、労働者の立場に立つマルクスとしては、この運動に加担してもよさそうに見える。

ところが、マルクスはこの運動を擁護しなかったのである。というのも、機械の導入は社会的な生産力を高めるからであり、それを抑制することに反対だったからである。むしろ、この発展した生産力にもとづいて、新たな社会が構想されなくてはならない。つまり、労働過程への機械の導入は、たとえ一時的には労働者の失業を生み出すとしても、機械を導入することで可能になる生産力の向上は、抑制すべきではないのである。

「機械化を加速せよ！」。これがマルクスの主張だと考えることができる。

ドゥルーズからネグリ、ランドへ

ドゥルーズ＝ガタリの加速主義的思考については、ニック・ランドの論文「メルトダウン」を取り上げたときに確認したが、そこで引用した文章は加速主義の基本的な典拠にもなっている。この点を、グローバリゼーションに関して明確に表現したのが、アントニオ・ネグリとマイケル・ハートによる『〈帝国〉』だった。「二一世紀の『共産党宣言』」と言われるその本では、次のように語られている。

ドゥルーズとガタリは、私たちが行なうべきことは資本のグローバル化に抵抗することであるよりはむしろ、そのプロセスを加速させることなのだ、と論じていた。……私たちはそのような挑戦に応じ、グローバルに思考し、グローバルに行動するようにならなければならない。

グローバリゼーションについてはしばしばその弊害が指摘され、反グローバリズムが提唱されることも多い。これに対してネグリ＝ハートは、「グローバリゼーションに抵抗する」のではなく、むしろ「そのプロセスを加速させる」ことを主張したわけである。

こうした戦略がどこまで有効だったかは別にして、ネグリが加速主義者だということは

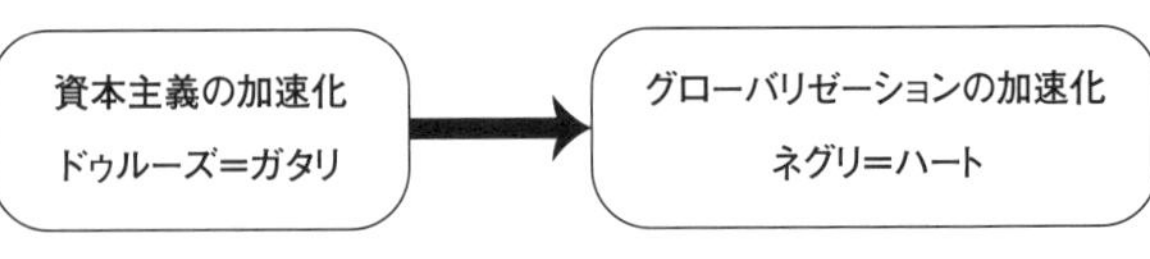

加速主義的思想の展開

確認しておいてよい。しかし、そもそもドゥルーズ＝ガタリはどうして加速主義を唱えたのだろうか。

その根本的な理由は、『アンチ・オイディプス』の原理が「欲望」にあるからだ。「資本主義と分裂症」というサブタイトルを持つ本書は、「欲望」概念にもとづいて議論が展開されている。資本主義にしても、「欲望」から捉え直される。では、その「欲望」はどう説明されているのだろうか。

ドゥルーズ＝ガタリによれば、欲望はもともと「脱コード的」であって、多様な方向へと流れるものである。そのため、欲望を規制（コード化）して、一定の方向へと秩序化するのは、欲望の本質に反している。したがって、欲望を規制するような秩序があれば、欲望はそれを破壊するアナーキーな活動として現れる。『アンチ・オイディプス』で、ドゥルーズ＝ガタリは、アントナン・アルトーから受け継いだ「器官なき身体」という語を使いながら、次のように述べている。

資本主義は脱コード化の境界に向かい、それは社会体を破壊して器官なき身体に向かい、この身体の上で、脱領土化した領野において、欲望の流れを解放する。……流れの脱コード化と社会体の脱領土化は、こうして資本主義の最も本質的な傾向をなすことになる。資本主義はこの自分の極限にたえず接近するのであり、これはまさに分裂症的なものである。

ここで「器官なき身体」という言葉は、「諸部分（器官）の有機的な統一体」といった考えを否定するために使われている。資本主義は、欲望の原理にもとづき、多様な方向へと錯乱している。諸部分が接合するとしても、たえず流動的であって、さまざまな可能性に開かれている。これが「分裂症的」と呼ばれるのだ。

このように、欲望の「脱コード化」した流れによって、資本主義を突き抜けていこうとするのが、ドゥルーズ＝ガタリの基本的なスタンスである。したがって、欲望を抑制するような戦略は、取りえないのだ。では、この戦略はどこへ向かっているのだろうか。

それを示すのが、「動物になる（動物への生成変化）」という概念である。この概念は、『千のプラトー』の中で、次のように語られている。

たがいに異質な複数の項からなり、伝染によって連動する複数の多様体は、一定のアレンジメントに組み込まれる。そして人間が動物への生成変化をとげる場は、まさにここにある。またそうであればこそ、われわれの心の奥底にうごめく暗いアレンジメントを、家族制度や国家機構のような組織体と混同してはならないのだ。

ドゥルーズ＝ガタリがイメージ豊かに語った「人間が動物になること」は、人間が「脱人間化」することだと理解していい。人間の欲望は、人間の中だけで完結するのではなく、たとえば機械や動物やコンピュータなど、人間以外の多様なものと連結しうる。だとすれば、欲望の「脱コード化」した流れが向かうのは、「人間を超える」ことだと言えるだろう。家族や国家といった人間社会のうちに欲望をコード化することではなく、資本主義における欲望の多様な流れを加速化すること――そうすることで人間を超えていくこと、それがドゥルーズ＝ガタリの構想した加速主義である。そして、ドゥルーズ＝ガタリの思想を継承したニック・ランドの思想も、この流れを継承していることは明らかであろう。

3 「暗黒の啓蒙」の衝撃

ニック・ランドが二〇一〇年代になって発表した「暗黒の啓蒙」と呼ばれる論稿は、ランドの加速主義を一般に告げ知らせると同時に、アメリカの新反動主義にも大きな影響を与えた。リバタリアニズムにもとづく新たな政治運動に、ランドは未来への道しるべを与えたのである。本節はそのことに焦点を当てながら、ランドの加速主義をひもといてみよう。

なぜ民主主義を拒否するのか

二〇一〇年に加速主義のシンポジウムが開催されてから二年後、ニック・ランドは「暗黒の啓蒙」と題された一連の論稿をウェブ上に発表している。これによって、ランドの思想にあらためて注目が集まったのだが、その現象は哲学の流行の仕方としては異例なものだった。

まず発表するときのメディアが、インターネットであったことである。思弁的実在論が、ブログやウェブサイトを通じて広がっていったことはすでに確認した。このやり方はもともと、CCRU（サイバネティック文化研究ユニット）に起因している。したがって、ランドにとっては、特別な方法というわけではなかった。

だが、哲学の世界では自らの思想を発表する際に書物を出版するといった従来のスタイルが当時も主流だった。これに対して、ランドは社会的にすでに進んでいたデジタル情報革命に応じた方法を採用したのである。革命的な出来事だったと言ってよい。

次に、社会への影響という点では、「暗黒の啓蒙」は、哲学・思想分野にとどまらず、むしろ現実世界の政治に対して大きな影響を与えた。その象徴的な出来事が、アメリカにおけるトランプ政権の誕生と言えるかもしれない。というのも、この政権を支えた新反動主義は、ランドの思想と共鳴していたからだ。したがって、「暗黒の啓蒙」が発表されなかったならば、アメリカの政治情勢もずいぶん変わったものとなっていたかもしれない。

このように考えると、「暗黒の啓蒙」は、世界史的な意義を持っていたと言える。こうした歴史的な意義は、その内容を見ると、いっそう明らかになるだろう。ランドが提起したのは、近代社会そのものの大転換だったからだ。

どういうことだろうか。最初に、「暗黒の啓蒙」というタイトルに着目してみよう。もともと、「啓蒙」は近代を特徴づける概念として使われてきた。その理由について、ランドは明確に説明している。

啓蒙とは一つの状態であるだけでなく、一つの出来事であり、一つのプロセスである。一八世紀のヨーロッパ北部に集中して生じた歴史的な出来事にたいする呼び名である啓蒙は、近代の起源と本質をはっきりととらえたものであり、……「啓蒙」と「進歩的な啓蒙」のあいだには、ほとんどとらえようのないわずかな違いしか存在しない。というのも、啓蒙の光があたりを照らすプロセスは時間の前後関係を生み――そしてその光はかならず、それ自体にたいして注がれることになるからだ。つまり啓蒙とは、それ自体にたいしてその正当性を与えていく性格をもったものであり、その啓示はかならず、「自ずから明らかな」ものなのである。(『暗黒の啓蒙書』)

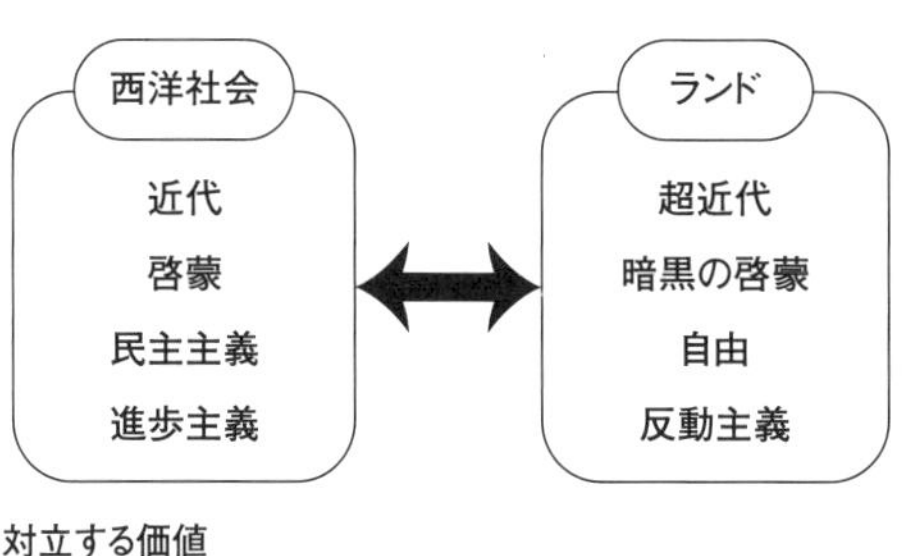

対立する価値

ここで等式をつくれば、近代＝啓蒙＝光＝進歩主義ということになるだろう。こうした考えを根本的に覆(くつがえ)そうとしたのが、「暗黒の啓蒙」なのである。

ランドは、近代の出口(超近代)を求めて進歩主義を否定し、暗黒の啓蒙を主張する。なぜ進歩主義を批判するかというと、ランドによれば、進歩主義は民主主義と結びついているからだ。一般には、「民主主義と『進歩的な民主主義』は同義である」と思われている。近代政治の目標は、民主主義が実現されることであり、それが社会的進歩と見なされる。逆に、民主主義が阻害されると、遅れた社会と言われるだろう。こうして近代の啓蒙は、民主主義の実現に目標を置いてきた。

これに対して、ランドは民主主義に積極的な価値を認めていない。近代社会では一般に、自由と民主主義は親和的なものだと考えられている。ところがランドは、自由と民主主義を対立的であると見なし、民主主義を拒否して自由を擁護する。そして自由にもとづいて、近代の出口へと向かうわけである。

新反動主義との交差点

「暗黒の啓蒙」が民主主義を批判するとき、アメリカにおけるリバタリアニズムの盛り上がりが想定されている。リバタリアニズムと言えば、一九世紀以来アメリカでは長い歴史を持っているが、ランドが直接言及している同時代の人々に注目してみよう。

まずは、オンライン決済サービスの先駆的企業ペイパルの創業者であり、スタンフォード大学でも講義をしているピーター・ティールの発言である。彼は二〇〇九年に、保守派のシンクタンク、ケイトー研究所の論壇フォーラムCATO UNBOUNDに「リバタリアンの教育（The Education of a Libertarian）」という短いエッセイを寄せ、次のように述べている。

私はもはや、自由と民主主義が両立可能だとは考えていません。

もう一人は、ウェブ上でメンシウス・モールドバグという筆名を使って、過激な議論を展開しているカーティス・ヤーヴィンである。彼はティールとも知り合いで、シリコンバレーの起業家であるが、リバタリアンとして質の高い意見を表明していた。このモールドバグに触発されるように、ランドは「暗黒の啓蒙」を書き継いでいる。そのため、モールドバグの記事がなかったら、「暗黒の啓蒙」も生まれなかったかもしれない。

では、モールドバグは何を書いていたのだろうか。ランドによれば、「モールドバグはオーストリア学派の流れをくむリバタリアンから影響を受けて自らの立場を形成してきたが、そこに留まることはない」という。その立場が、「新反動主義（neo-reaction）」だった。

従来、アメリカでは、「リベラルVS.保守」が基本的な対立構造を形づくってきたが、それらに代わって大きな影響力を持つようになったのが、この新反動主義である。トランプが大統領になるに際して、一役買ったのもこの新反動主義と言われている。

では、新反動主義は、どのようなことを主張しているのか。基本的には、民主主義を批判して、自由を擁護するリバタリアニズムにもとづいているが、具体的な政策としては「新官房学（neo-cameralism）」を提唱している。

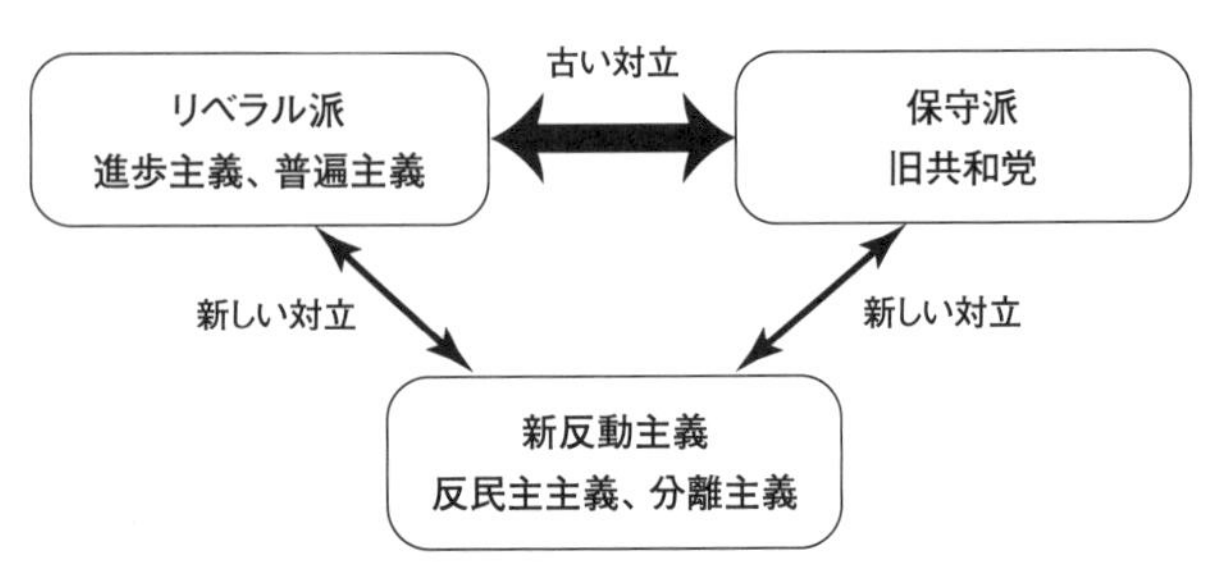

現代アメリカ政治の構図

これは、一八世紀プロイセンのフリードリヒ二世が行なった統治法から命名されたものだ。民主主義のオルタナティブとして提案されたものであるが、次のように説明されている。

> 新官房学主義者（ネオカメラリスト）からすれば、国家は一つの国を所有するビジネスとなる。他の大規模なビジネスと同様に国家は、形式上の所有者を、それぞれが国益の正確な一部分に対応するような流通性のある株式へと分割するかたちで経営されるべきものとなる（よって首尾よく機能している国家は、多くの収益を生むものになる）。それぞれの株式には一票の投票権があり、株主は経営陣の雇用や解雇を決定する役員を選出する。
> このビジネスにおける顧客はその住人である。収益を生み出すものとして経営される新官房学的（ネオカメラリズム）な国家は、他のビジネス同様その顧客にたいし、効率的で効果的

なサーヴィスを提供する。したがって、統治の不振は経営の不振を意味することになる。(『暗黒の啓蒙書』)

ここでポイントになるのは、国家の運営をビジネスとして捉えることである。企業が利益を生み出すことを目指すように、国家の運営でも収益を生み出すことが重要になる。そのため、新反動主義では企業の運営と同じように、国家の運営でも民主主義は採用されないのである。

また、モールドバグは民主主義を「大聖堂(the Cathedral)」と呼び、社会における「支配的存在」とみなしている。これが「大聖堂」と呼ばれるのは、民主主義という思想が宗教性を帯びていて、あたかも神のように人々の信仰の対象となっているからである。進歩主義であり普遍主義である民主主義は、「惑星規模の神学にまで高められ、〈大聖堂(カテドラル)〉による支配のなかで整理統合されている」(前掲書)。

そして民主主義の問題が、もっとも先鋭的な形で現れるのが、「人種」ないし「人種差別」に対してである。リベラルで民主主義的な考えによれば、人間は生まれながらに平等であり、人種の違いで差別することは許されない。

こうした考えは、現代社会では自明なことと見なされ、異を唱えることはなかなか難しい。では、民主主義を批判する新反動主義＝「暗黒の啓蒙」は、どう対応するのだろうか。

生物工学によって出口を目指す

あらかじめ確認しておくと、「人種」の問題は、新反動主義やランドにとって、きわめて重大だった。その点は、『暗黒の啓蒙書』の構成を見れば、一目瞭然と言ってよい。ランドは「PART1　新反動主義者は出口へと向かう」から始めて、「PART4　ふたたび破滅へと向かっていく白色人種」まで書いたあとで、その補論として「PART4a」から「PART4f」まで議論を展開している。つまり、「PART4」は補論まで入れると、全体のおよそ四分の三もあるのだ。

「白色人種」について、ランドがこれほど多く語る必要があった理由は、民主主義の批判が白人ナショナリズムに陥るかもしれないからである。白人ナショナリズムは白人至上主義の考えにもとづいて、他の有色人種を排除するものである。一方、民主主義はかつての人種差別を乗り越え、人類の普遍性にもとづく平等性を主張する。これは、現代社会ではほとんど否定できないような「公理」と見なされている。

そのため、民主主義を批判するランドや新反動主義は、人種差別主義者と見なされ、まったく容認されない可能性があった。とすれば、どうすればいいのだろうか。

新反動主義ではないが、たとえばリベラルと保守の対立から、この問題の難しさがよくわかる。

アメリカにおける人種問題とは白人による人種主義だと見なすのが、ステレオタイプ的なリベラルの立場であり、それを黒人による社会機能の妨害だと見なすのが、リベラルと厳密に対をなすところの保守の立場なのだといえる。……人種にかんするリベラルと保守の立場のあいだには均衡などまったく存在せず、ほとんど保守にとって壊滅的な敗北といえるような状況だけが見られる。（『暗黒の啓蒙書』）

では、ランドは人種問題に対して、どのような戦略をとるのか。それは、多様な人種の統合や平等性を目指すのではなく、「分裂や逃走」を求めることであった。具体的には「分離主義」であり、融合し調和することから遠ざかろうとする。「英語圏における自由の未来は、分離という展望以外にはないというものだ。来たるべき崩壊（クラック・アップ）だけが、現状にたいする唯一の打開策なのである」（前掲書）。

しかし、この展望では、差別主義的な白人ナショナリズムとみなされ、リベラルに敗北した保守とどこが違うというのだろうか。

ここでランドが打ち出すのが、「生物工学的な地平へのアプローチ」である。具体的には、遺伝子を改変することで、人間のアイデンティティを動的なものにすることである。白人ナショナリズムは、白人としてのアイデンティティ（生物的同一性）に執着することだ。だが、生物工学的に介入することによって、永遠不変のアイデンティティを改変することができるとしたらどうだろうか。こうして、「生物工学的分離主義は人種問題からの〈出口（イグジット）〉へと向かう」わけである。

> 生物工学的な地平へとアプローチすることで分離主義は、はるかに広く、そしてはるかに怪物的な方向性を引きうけることになる――すなわちそれは、新たな種の形成へと向かっていくのだ。（前掲書）

「暗黒の啓蒙」が加速主義として、どこへ向かっているかがわかるだろう。多様な人種の違いを否定したり、融合したりせず、むしろその差異を認め、さらに分裂・加速させること――こうした戦略ゆえに、ランドの「暗黒の啓蒙」は新反動主義に大きな影響を与えたのである。

4 ポスト資本主義は可能か

ここまでニック・ランドの加速主義を見てきたが、それを批判する形で若い世代も登場している。『資本主義リアリズム』を通じて資本主義の乗り越え難さを明らかにしたマーク・フィッシャー、二〇一三年に「加速主義的政治宣言（#Accelerate: Manifesto for an Accelerationist Politics)」（のちに『加速主義読本』に収載）をウェブ上で発表し、加速主義によって資本主義を乗り越えていくことを高らかに宣言したニック・スルニチェクとアレックス・ウィリアムズが代表として挙げられる。

だが、とりわけ「加速主義的政治宣言」は、あくまでもプロパガンダであって、資本主義を具体的にどう変革するかは明らかではなかった。そこでスルニチェクとウィリアムズは、二〇一五年に『未来を発明する（*Inventing the Future*)』を出版して、その道標を示した。本節では、こうした加速主義の新たな動きである「左派加速主義」についても取り上げたい。

加速主義の二つの方向性

「暗黒の啓蒙」によって、ニック・ランドがアメリカの新反動主義と呼応する加速主義的思想を発信していたころ、彼の弟子たちは別の方向性を明確に表明し始めていた。その嚆矢が、マーク・フィッシャーが二〇〇九年に出版した『資本主義リアリズム』である。ただし、思想の背景がわかるように、ここでは「資本主義的実在論」と呼ぶことにしたい。

というのも、同書は思弁的実在論と連動する形で構想され、そこから加速主義へと向かっているからである。フィッシャーはニック・ランドがウォーリック大学で主宰していたCCRUに参加し、ブラシエやグラントとも知り合いだった。二〇〇七年に思弁的実在論が立ち上がると、彼は資本主義における実在論を展開する。しかし、資本主義について実在論を語るとは、いったいどういうことだろうか。

まず、基本的な意図を確認しておけば、原著のサブタイトルは「Is There No Alternative?」（邦訳書では「『この道しかない』のか？」）となっている。つまり、「資本主義に代わるオルタナティブは存在しないのか」が、問われているのである。フレドリック・ジェイムソンとスラヴォイ・ジジェクの言葉を引きながら、フィッシャーは次のように語っている。

「資本主義の終わりより、世界の終わりを想像する方がたやすい」。このスローガンは、

> 私の考える「資本主義リアリズム」（「資本主義的実在論」、引用者注）の意味を的確に捉えるものだ。つまり、資本主義が唯一の存続可能な政治・経済的制度であるのみならず、今やそれに対する論理一貫した代替物を想像することすら不可能だ、という意識が蔓延した状態のことだ。

「資本主義に代わるオルタナティブが想像さえできない」という感覚——これをジジェクは同じ年に出版した『ポストモダンの共産主義』で、「左翼の敗北」として語っている。二〇〇八年にアメリカで起こった「金融大崩壊」について、そこでは次のように言われている。

> じつは進行中の危機の最大の犠牲者は、資本主義ではなく左派なのかもしれない。またしても世界的に実行可能な代案を示せないことが、誰の目にも明らかになったのだから。……壊滅的な危機においても、資本主義に代わる実効的なものはないということがわかったのである。

現代の資本主義社会は、資本主義だけが存在する現実（実在）であって、それ以外の現実

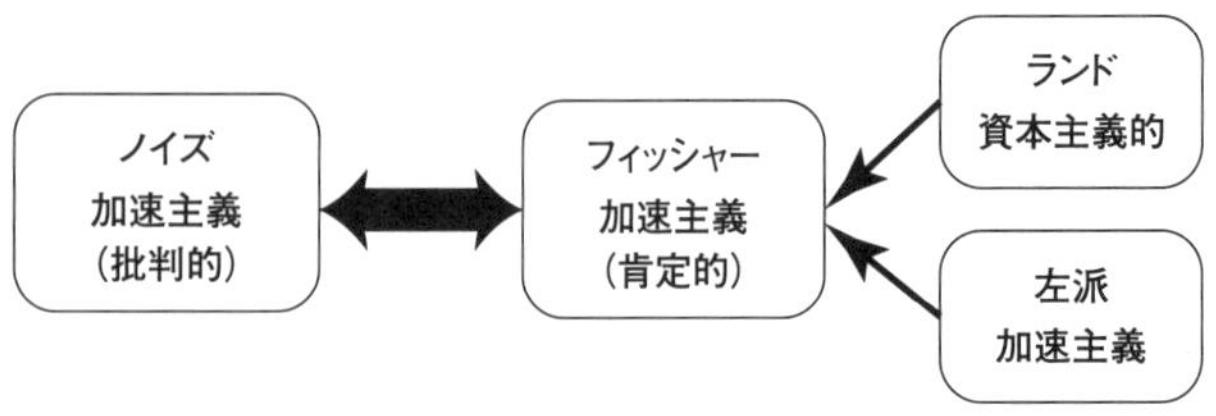

フィッシャーの加速主義をめぐる構図

（実在）的なものは考えられない、というわけである。だから、資本主義をどんなに批判しても、「その後どうするのか？」と問われたら、答えに窮するのだ。『資本主義リアリズム』でフィッシャーが示したのは、まさにこうした資本主義の実在性（否定しようのない現実性）だった。

では、資本主義を乗り越えることはできないのだろうか。これについては、彼の死後に出版された最終講義録『ポスト資本主義的欲望（*Postcapitalist Desire*）』を見てみよう。先に触れたように、フィッシャーは二〇一七年に亡くなってしまったので、「ポスト資本主義」をどう構想したかを完全な形で理解することはできない。だが、方向性については確認できる。

この問題を考えるとき、鍵となるのが「加速主義」という概念である。すでに確認したように、これを言葉として初めて導入したのは、ノイズの『否定的なものの持続性』だったが、そのときはあくまで否定的な意味で使われていた。ところが、フィッシャーは二〇一〇年に開催された加速主義に関するシンポジウムに参加し、それから積極的な意味で加速主義を口にするようになった。

注目したいのは、フィッシャーが加速主義をノイズのような否定的意味から解放して、肯定的な形で使い始めたことだ。ただし、フィッシャー自身は自分の立場として加速主義を標榜したわけではなく、それを「競合する立場の奇妙な合流」と見なしていた。

その一つは、ニック・ランドの加速主義である。フィッシャーとしては、これを「右派加速主義」という言葉ではなく、「資本主義的加速主義」と表現したいようだ。これに対して、後述のニック・スルニチェクやアレックス・ウィリアムズの考えを、「左派加速主義」と呼んでいる。

フィッシャーとしては、この左派加速主義の問題提起を受けて、「ポスト資本主義は想像可能か」という根本的問題を考えようとしていた。しかし、フィッシャー自身の『ポスト資本主義的欲望』の講義は、彼の自死によって第五講義「リビドー的マルクス主義」で終わってしまった。

そこで、フィッシャーがポスト資本主義を構想するきっかけとなった、左派加速主義を見てみることにしよう。

左派加速主義とは

スルニチェクとウィリアムズが、すでに他の所で使われていた「加速主義」という言葉によって、あえて自分たちの思想を表明したのは、彼らが二〇一三年にウェブ上に発表した「加速主義的政治宣言」によって、彼らの思想の広がりに火がついたからであった。

そこで、この宣言を取り上げ、彼らの加速主義の思想がそもそもどういうものであるか、確認しておこう。この宣言は、大きく分けて、三部から構成されている。まず、「01.序論危機的状況」において、現代（二〇一〇年代初頭）の状況が歴史的に捉え直される。

基本的な枠組となっているのは、右翼－左翼の対立である。右翼には、「政府・非－政府・企業権力」といった諸勢力があり、その中心には「新自由主義（ネオリベラリズム）」がある。これに対して、左翼は、「ラディカルな思想」を失い、「実効性を欠いたまま慢性的な麻痺状態」に陥っている。宣言は次のように述べる。

このまま左翼が根底的に新しい社会的・政治的・組織的・経済的なヴィジョンを打ち出せずにいれば、あらゆる明白な現実をものともせずに、右翼の覇権的権力がその狭隘（きょうあい）な想像力を推し進めていくばかりだろう。

ここから、「左翼が新たなグローバルなヘゲモニーを生み出す」にはどうすべきかが問われることになる。そこで打ち出されるのが加速主義であり、それについて「02.空位期間加速主義について」で、説明されることになる。

すでに述べたように、加速主義を考えるとき、基本的に理解したいのは、「加速のアイデア」が資本主義と結びつくことだ。資本主義では、「競争にもとづく経済発展」が必要であり、そのため「技術的発展」が推し進められる。こうして、加速主義と資本主義と新自由主義が結びつく。

新自由主義の形態をとった資本主義が自認するイデオロギーとは、創造的破壊の諸力を解き放つことを通じて、技術的・社会的革新を絶えず自由に加速させていくことなのである。

こうした新自由主義的な資本主義の力動性を体現したのが、ニック・ランドの加速主義というわけである。これに対して、スルニチェクとウィリアムズは、「ランド流の新自由主義は速度（スピード）と加速（アクセラレイション）を混同している」と言う。なぜならランドの場合は、「操縦可能でもある加速」になっていないからである。

ランドのような新自由主義的な加速主義ではなく、マルクスが当初求めた資本主義を突き抜けていく加速主義が必要になると、スルニチェクとウィリアムズは言うのだ。

マルクスは資本主義が搾取と腐敗にまみれたシステムであることを熟知しつつも、その時代のもっとも進んだ経済システムとしてそれを捉えていた。資本主義の成果は逆転されるべきものではなく、資本主義的価値形態の拘束や制約を超えて加速されなければならないのである。

ランドが新自由主義的資本主義を代表するような加速主義を提示したとすれば、マルクスにもとづく左翼勢力の加速主義が必要になる。こうなると、加速主義にも二つの形態があることになる。

一つは右翼的な加速主義であり、もう一つは左翼的な加速主義である。しかしながら、新自由主義が勢力を伸ばしたのは、左翼がすでに実効的な行動をとりえなかったからではなかったか。とすれば、左翼的な加速主義といったところで、何ができるというのだろうか。

ランド
新自由主義的加速主義
⟷
スルニチェク=ウィリアムズ
左派加速主義

2つの加速主義

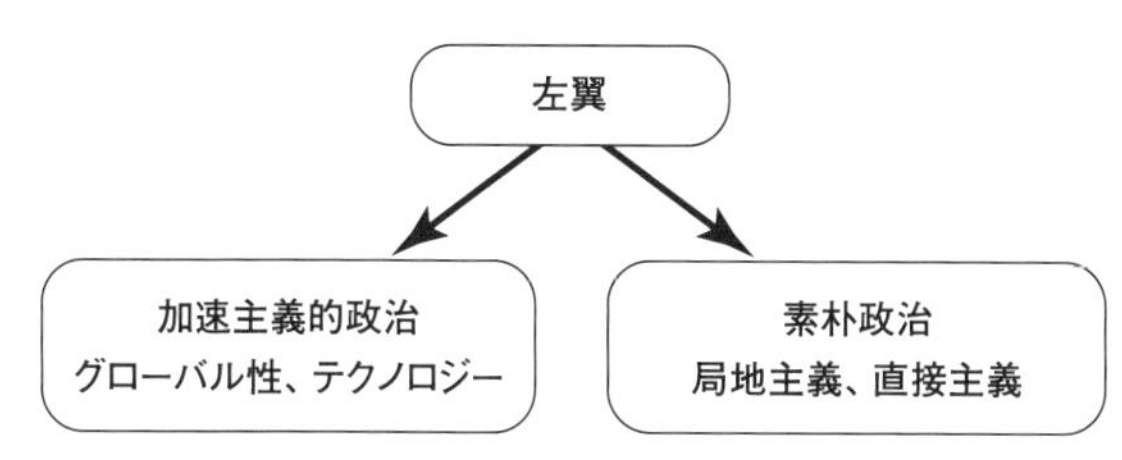

左翼が取りうる2つの戦略

ポスト資本主義に向けての戦略

「03.宣言　未来について」において、スルニチェクとウィリアムズは、左翼の戦略として二つの方向を区別している。

私たちが今日の左翼内部に存在すると考えているもっとも重大な分裂は、一方における局地主義・直接行動・ひたむきな水平主義からなる素朴政治（folk politics）にしがみつく人々と、他方における抽象化・複雑性・グローバル性・テクノロジーからなる近代性と気軽に向き合う加速主義的政治（accelerationist politics）と呼ばれるようになるに違いないものの輪郭を描き出している人々との間の分裂である。

ここで「素朴政治」と呼ばれるのは、二〇一一年にアメリカで起こった「オキュパイ運動」のような、反格差・反グローバリズム運動である。「ウォール街を占拠せよ」の合言葉で、いわば自然発生的に起こり、世界的にもさまざまな都市に波及したが、やがて収束してしまった。

こうした民衆（フォーク）の素朴な（フォーク）政治に対して、彼らは異を唱えるのである。すなわち、「近代性」を否定せず、「後期資本主義の成果」を維持するように努めながら、さらにその先へと向かうと言う。

そのためのいわば条件となるのが、科学技術の発展である。

> 左翼は資本主義社会によって可能になったあらゆるテクノロジー的、科学的な成果を利用しなければならない。

しかしながら、「加速主義的政治宣言」では、どんなテクノロジーが社会を具体的に変えていくのかは明らかにされていない。「宣言」という性格上、仕方なかったかもしれないが、やはり政治宣言としては不満が残るだろう。

そこで、スルニチェクとウィリアムズは、この「宣言」の二年後に『未来を発明する』を出版した。その中で彼らは、社会をどう変えていくのかを具体的に論じている。

左派加速主義の実効性を確認するため、彼らの論点を取り出しておこう。まず確認しておくべきは、「宣言」の基本的な視点である、テクノロジーの進化が未来社会の根本的前提になることについてである。

とくに、ロボットやAIも含めた機械の発展によって人間が労働から解放されること、これを彼らは、「ポスト労働の世界」と呼んでいる。しかし、通常ロボットやAIの進化は、人間から仕事を奪い、失業させるリスクを高める、と見なされているのではなかったか。

たとえば、二〇一三年には、オックスフォード大学の研究者たちが、次のような警告を出している。「将来のコンピュータ化によって、……アメリカの全雇用のおよそ四七％にきわめて高い失業のリスクがある」。こうした機械脅威論は、一九世紀の「ラッダイト運動」以来、形を変えて何度も繰り返されてきた。

それに対して、スルニチェクとウィリアムズは、むしろ新たな社会を形成するチャンスと捉えるのである。人間の代わりに機械（ロボット・AI）が作動し、しかもいままで以上の生産力を生み出すのならば、むしろ望ましいことではないか。その分、人間は労働しなくてもよくなるからだ。労働しなくても、いまと同じ、あるいはもっと快適な生活ができるとすれば、批判したり憂慮したりする理由はないだろう、と。

（機械の導入による、引用者注）自動化とともに、機械がすべての財やサービスをますます生み出すようになり、そうしたものを作り出す労苦から人類を解放するのである。
（『未来を発明する』）

もちろん機械化によって望ましい世界が広がるかどうかは、社会変革を起こせるかどうかにかかっている。現状の資本主義のままで機械化が進むのであれば、労働者たちは失業し、生活の糧を奪われてしまうだろう。機械脅威論が警告しているのは、まさにこの事態だった。とすれば、社会をどのように変革していけばいいのだろうか。

これに対して、スルニチェクとウィリアムズは次のような方針（最低限の要求）を打ち出している。

1. 完全な自動化
2. 労働時間の縮減
3. ベーシックインカムの整備
4. 労働倫理の衰退

一目見てわかるように、要諦となるのは「ベーシックインカム」である。ベーシックインカムとは、「就労や資産の有無にかかわらず、すべての個人に対して生活に最低限必要なお金を無条件に給付する制度」で、その起源は一六世紀にトマス・モアが『ユートピア』の中で提示したアイデアに遡る。

ベーシックインカムが整備されれば、機械が導入され仕事が奪われたとしても、生活の心配はなくなる。それどころか朝から晩まで働いていた時間を他に仕向けることができるようになる。

しかし、労働は人間にとって大切なものであり、労働がなくなれば人間は堕落（だらく）してしまうのではないか、という意見もあるだろう。こうした労働倫理は、一朝一夕に変化するものではない。そこで、次のように言われることになる。

> 必要なことは、労働に対する反・ヘゲモニー的アプローチである。つまり、労働の必要性や望ましさといった考え、そして苦役に対する報酬といった考え、こうした現代社会に存在する考えを克服するプロジェクトが、必要なのだ。

もちろん、スルニチェクとウィリアムズも述べるように、「ポスト労働の世界へのプロジェクトは必要ではあるが、十分ではない」。しかし、テクノロジーの進化によって、ポスト労働の世界が到来しつつあるのは確かであろう。

機械やロボットやＡＩによる自動化が進めば、ベーシックインカムの整備とともに、私たちの労働倫理もやがて変わっていかざるをえない。とすれば、これにどう対応するかは、加速主義か否かにかかわらず、決定的な問題と言える。


以上、加速主義の展開を、源流であるニック・ランドから始め、資本主義にどうかかわるかという問題、左派の加速主義まで急いで見てきたが、そこから何がわかっただろうか。

第一に、加速主義をランドが唱えたのは、資本主義の外へ出ていくためであった。そのため、民主主義や普遍主義を超える思想の模索がさまざまな形で試みられた。第二に、若い世代の左派加速主義者たちは、資本主義を抑制しないという加速主義の原則は受け継ぎながら、新自由主義的方向ではなく、労働なき世界へと出ていこうとする。このためにロボットやＡＩといった機械の導入が推進されることになる。

いずれにしても加速主義の目指す世界では、人間はもはや中心的な役割を演じることがない。加速主義の構想は、まさにポスト・ヒューマニズムを推進することにある、と言える。右派であれ、左派であれ、加速主義の本質は、近代的なヒューマニズムの外へ出ていくことにあるのだ。

第四章　新実在論は何を問題にしているのか

日本のメディアで、いまもっとも多く取り上げられる哲学者と言えば、おそらくドイツのマルクス・ガブリエルの名前が挙げられるだろう。二〇一三年に出版された『なぜ世界は存在しないのか』をはじめ、著書が何冊か翻訳されており、それ以上に彼の発言やインタビュー本が数多く刊行されてヒットしている。

最初は哲学の新たな潮流「新実在論」の提唱者として注目されたが、近年ではむしろ、哲学分野にとどまらず、時代のオピニオン・リーダーといった雰囲気である。分野は異なるが、年齢的な近さからすれば、歴史学者のユヴァル・ノア・ハラリに匹敵する。もちろん、二人の立場は根本的に違っているので同列に論じることはできないが、社会的にはともに「世界の賢人」、あるいは「世界を代表する知識人」と呼ぶことができるかもしれない。

しかしながら、新実在論の旗手として登場した若手の哲学者が、どうしてスター哲学者になったのだろうか。外面的に見れば、マイケル・サンデルと同じように、NHKテレビでの露出が、大きく作用したのかもしれない。メディアで紹介されるとき、「哲学界のロックスター」といったキャッチコピーがつけられ、その風貌とともに哲学者の新しいスタイルとして新鮮に映ったのかもしれない。

しかし、こうした外面的な事情だけでなく、提唱された新実在論自体にも、その理由を求めるべきだろう。どうしてガブリエルの新実在論が、二一世紀の現代において支持されたのだろうか。

この問題を明らかにするために、新実在論が何を主張したのかをあらためて考えてみたい。登場した当初、新実在論は、しばしば思弁的実在論と共通する思想と見なされてきた。しかし、両者は「実在論」という点では共通しているものの、目指す方向がまったく違っているのだ。むしろ、この違いこそが、多くの人に新実在論が受け入れられる理由ではないだろうか。

そこで第四章では、新実在論が独自に何を主張しているかを見ていく。そのため、第1節では、「思弁的実在論VS.新実在論」を論じる。これまでは「思弁的実在論から新実在論へ」という形で紹介されることもあったが、これでは両者の違いに目をつぶってしまうからだ。そのうえで第2節では、新実在論の基本が人間主義にあることを確認したい。

思弁的実在論にとって、「人間を超えること」が問題だったのに対して、新実在論は「人間」を固守する哲学だ。第3節では、新実在論の人間主義から何が出てくるのかを考える。そして最後の第4節では、新実在論が世界の具体的な問題にどう取り組もうとしているかをまとめたい。

1 思弁的実在論VS.新実在論

新実在論は、日本に紹介されるとき、思弁的実在論と共通の潮流として理解されることが多かった。そのため両者はひとまとめにされ、しばしば「思弁的実在論から新実在論へ」という形で論じられたのである。しかし、この理解は訂正したほうがいいのではないだろうか。

現時点で二つの実在論を比較すると、両者がまったく対立した方向を目指していることがわかる。思弁的実在論が人間主義を超えていこうとしたのに対し、新実在論は人間主義を堅持しているからだ。とすれば、問題となるのは、この対立をどう理解するかである。

真逆の実在論

思弁的実在論がイギリスで立ち上がったあと、それに続くような形で、大陸において新実在論が形成された。主要なメンバーは、ドイツのマルクス・ガブリエルとイタリアのマウリツィオ・フェラーリスである。二人のジョークじみた回想によれば、その名前が決まったのは二〇一一年六月二三日、ナポリのレストランにおいてだったそうだ。

その後、フェラーリスは二〇一二年に『新実在論宣言（*Manifesto del nuovo realismo*）』を公表し、ガブリエルは二〇一三年に『なぜ世界は存在しないのか』を出版している。こうした状況を表面的に見ると、おそらく新実在論は、思弁的実在論に続く実在論の新たな展開として受け取られるだろう。

しかし結成の経緯を考えると、この印象が間違いだとわかる。この名称はそもそも、ガブリエルが所属するボン大学で国際哲学センターが発足し、その記念として開催されるカンファレンスのために選択されたものだ。このカンファレンスは、二〇一三年の三月に開催され、彼ら以外にも多くの参加者があった。

そのときの論集であるガブリエル編集の『新実在論』を見ると、ウンベルト・エーコやマンフレート・フランク、ジョン・サールやヒラリー・パットナムといった大御所の名前が並んでいる。彼らはもちろん、新実在論者を名乗っているわけではない。とすれば、新実在論というのは、一つのグループを指す名称というわけではないだろう。

ガブリエルとフェラーリス以外で、新実在論を標榜する人は、あまり知られていない。もっと言えば、今後、この名称が広がっていくのかどうかは、いささか微妙かもしれない。実際、ガブリエルにしても、自分の立場を「新実存主義」と呼んだりもしている。こうした事情を念頭に置いたうえで、新実在論をどう理解したらいいのかを考えてみたい。

繰り返すが、最初に登場したころ、一般的には、新実在論は思弁的実在論と同じグループのように見なされた。しかも、新実在論がやや遅く登場したので、「思弁的実在論から新実在論へ」という形で位置づけられることが多かった。つまり、思弁的実在論の発展形が新実在論というわけである。

だがむしろ、二つの実在論は、対立した思想として理解したほうがいい。実際、ガブリエルがジジェクといっしょに出版した『神話・狂気・哄笑』を見ると、その違いはすでに早い時期から表明されていたことがわかる。

たとえば、メイヤスーの基本的立場について、ガブリエルは次のように述べている。

〔メイヤスーのように〕デカルト的絶対者を改めて独断論的に主張することは、今日の図々しくて悪意ある自然主義のイデオロギー的振る舞いを支持するという危険を冒すことになる。この自然主義が信じるところでは、唯物論とは一切の出来事を時間空間上の素粒子の究極的に必然的な配置へと還元することに等しい。

すでに思弁的実在論と新実在論の対立は決定的である。メイヤスー以外の思弁的実在論者たちが自然主義を擁護しているか、一律には明らかでないとしても、彼らが総じて人間主義の向こう側へと進もうとしているのは間違いない。

メイヤスーの「祖先以前的世界」にしろ、ブラシエの「人間の絶滅」にしろ、人間が存在しない世界を想定している。思弁的実在論者たちは、人間主義ないし人間中心主義を超えること（ポスト・ヒューマニズム）へと向かっているのだ。

これに対してガブリエルは、ポスト・ヒューマニズムには向かわないのである。たしかに、実在論を唱えるかぎり、人間との関係を離れた実在は認められる。だからといって、ガブリエルが人間の立場を放棄することはない。それを端的に示すのが、次の表現である。

> 人間であるということは、主観的であることと客観的であることとの間を、つまり、人間性の相の下での〔sub specie humanitatis〕世界と、我々自身の制作によるものでない限りでの世界との間を揺れ動くことである。だが、言説を超越する直線的な方法は存在しない。つまり、我々が客観的なものとして指示する領域は、それ自体、「人間性の相の下で」の客観的なものである。（メイヤスーのような、引用者注）祖先的言明も例外ではない。（『神話・狂気・哄笑』）

この記述を読むかぎり、新実在論を思弁的実在論と接合することは難しいだろう。一方は人間主義を超えることへ向かう思弁的実在論、他方は人間主義を堅持する新実在論——この二つは同じ実在論であっても、進む方向がまったく逆なのである。
とすれば、「思弁的実在論から新実在論へ」ではなく、「思弁的実在論か新実在論か」こそが問題なのだ。

デカルトをどう捉えるか

二つの実在論の違いは、新実在論が提唱された経緯を考えると、一層はっきりするかもしれない。新実在論という名称が選ばれたとき、何が想定されていたのだろうか。フェラーリスとガブリエルは次のように語っている。

そのカンファレンスのタイトルは「新しい実在論」とするとよいのではないかと、私はマルクスに提案した。思うに、この言葉は現代哲学の基本性格をうまくとらえているから、と。つまり、ポストモダニズムに対する倦怠感であり、いっさいは言語、概念図式、メディアによる構築物にすぎないという信念に対する倦怠感である。（マウリツィオ・フェラーリス『新実在論入門』〔*Introduction to New Realism*〕）

ここで言う「新しい実在論」は、いわゆる「ポストモダン」以後の時代を特徴づける哲学的立場を表わしています……。さしあたりは、「新しい実在論」とはポストモダン以後の時代を表わす名称だ、といった程度に受け取っておいてくだされればけっこうです。（マルクス・ガブリエル『なぜ世界は存在しないのか』）

二人の当事者の発言から理解するかぎり、新実在論は、ポストモダンを乗り越える哲学として位置づけられている。そのとき問題となるのは、ポストモダンをどう考えるのか、という点である。「ポストモダン」は「近代（モダン）以後」を意味し、リオタールが『ポスト・モダンの条件』において「大きな物語の終わり」と規定したことで広く一般に知られるようになった。

ポストモダンを考えるとき、参考になるのは二〇世紀の哲学に対するフェラーリスの整理である。彼は、英米の分析哲学と大陸哲学の二つの潮流について、次のように述べている。

この二つの哲学的伝統は、一つの哲学的前提を共有している。すなわち、「物それ自体」は存在せず、わたしたちの概念図式や知覚装置によって媒介された（あるいはつくり出された）現象だけが存在する、ということだった。この意味でこそ、どちらの哲学的伝統も同じく「言語論的転回」に触発されたのである。……しかし、分析哲学者にとって問題が認識論的なものだったとすれば（「概念図式と言語は、わたしたちの世界観にどこまで介入しているのだろうか」）、大陸哲学者にとって問題は政治的なものだった。ポストモダニズムが陥っている誤謬（ごびゅう）について、わたしは「知＝権力の誤謬」という呼称を提案したことがある。（『新実在論入門』）

ここで注目したいのは、フェラーリスがポストモダンを単独の事象として捉えるのではなく、分析哲学と大陸哲学という、哲学の大きな流れの中に位置づけていることだ。

この流れを印象付けるために、フェラーリスはキャッチーな名前を与えている。一つは「デカント Deskant（Descartes+Kant）」であり、もう一つは「フーカント Foukant（Foucault+Kant）」である。「デカント」にせよ、「フーカント」にせよ、フェラーリスはこれらが二〇世紀ポストモダンの本質をなしていると考えた。

しかし、フェラーリスが示したこの図式に対して、メイヤスーはおそらく同意しないだろう。というのも、彼によれば、カントは相関主義者であるが、デカルトは相関主義者ではないからだ。つまり、デカルトをどう捉えるかをめぐって、思弁的実在論と新実在論では根本的な対立があるのだ。

構築主義こそが問題である

なぜ新実在論がポストモダンを批判したり、デカルトやカント、フーコーを持ち出したりするのだろうか。フェラーリスやガブリエルは、「構築主義（Konstruktivismus）」という言葉で次のように説明している。

> 分析哲学的な反実在論も、大陸哲学的な反実在論も、強力な理論的支柱は構築主義にある。構築主義は、近代哲学の主潮流をなしている。その考え方によれば、私たちの概念図式と知覚装置は、現実を構成するなかで決定的な役割を担っている。このような立場はデカルトに始まり、カントにおいて頂点に達した。その後、ニーチェによってニヒリズムへと先鋭化された。（マウリツィオ・フェラーリス『新実在論入門』）

> 厳密に言えば、ポストモダンで問題になったのは、相当に一般化された形態をとった構築主義にほかなりませんでした。構築主義とは、次のような想定に基づくものです。およそ事実それ自体など存在しない。むしろわたしたちが、わたしたち自身の重層的

な言説ないし科学的な方法を通じて、いっさいの事実を構築しているのだ、と。（マルクス・ガブリエル『なぜ世界は存在しないのか』）

こうした構築主義批判から、思弁的実在論の相関主義批判を連想する人も多いだろう。構築主義が、人間（主体）が持つ概念や言語によって、世界が構築されると考えるのだとすれば、相関主義の言いかえにすぎないのではないか、というわけである。ところが、これについてはフェラーリスが次のように指摘している。

私の考えでは、近代哲学の基軸をなしているのは、メイヤスーによって問いに付されている「相関主義」ではなく、むしろ構築主義にほかならない。というのも、近代哲学のポイントは、たんに主体に相関する客体について考えることにではなく、主体による構築の結果として客体を考えることにあるからである。（『新実在論入門』）

フェラーリスによれば、主体に対して客体が相関するというだけでは、問題とはならない。というのも、メイヤスーが想定する「祖先以前的世界」でさえも、それを想定する時点で、主体と相関的だと言えるからだ。実際、相関性をいっさいなくしてしまえば、考えることも想像することもできないだろう。

重要なのは、相関的だからといって、「祖先以前的世界」が主体によって構築されているとは言えない、という点である。具体的に考えるため、フェラーリスは、たとえば「ティラノサウルス」の存在を例として議論している。

ティラノサウルスは、人間が存在する以前に生存したと考えられているので、「祖先以前的世界」の動物と言えるだろう。ところが、「ティラノサウルス」という名称自体は、人間が学問上名づけたものであり、人間に相関的であることは否定できない。人間が存在しなければ、「ティラノサウルス」という「名称」をもった動物は存在しなかった。しかし、だからといって、人間が存在する以前にティラノサウルス（という動物）は存在しなかった、とは言えない。

そこで、もし厳密に相関主義を理解するならば、「ティラノサウルス」は人間と相関的であって、人間が存在しなければティラノサウルスも存在しない、と言わなくてはならない。しかし、これは奇妙なことである。この点を逃れるには、構築主義批判を採用せざるをえないだろう。「ティラノサウルス」は人間に相関的ではあっても、ティラノサウルスは人間によって構築されたものではない、という具合に。

相関主義と構築主義の関係は、次ページのように図示できるだろう。フェラーリスに

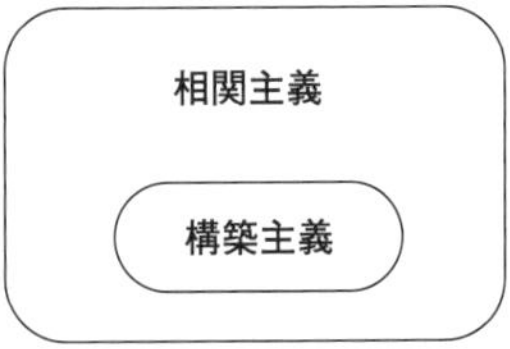

とって、批判されるべきは構築主義であって、相関主義ではない。もし相関主義そのものが批判されるならば、いかなる対象も想定できなくなるのではないだろうか、というわけである。

　とはいえ、相関主義と構築主義を区別することで、はたして思弁的実在論の難点を克服できるかどうかは、微妙だろう。それを確認するには、新実在論がどのような実在論を主張しているかを見なくてはならない。

相関主義

構築主義

相関主義と構築主義の関係

2　人間主義的な実在論

　新実在論は、いかなるコンセプトにもとづいて、実在論を展開するのだろうか。このとき注目したいのが、ガブリエルの「意味」やフェラーリスの「ドキュメント性」という概念である。いずれも、新実在論を展開するときに必須の概念になっている。

　実在論という観点から、新実在論をどう理解すればいいかをあらためて問い直してみよう。

「すべてのものが存在する」

思弁的実在論を紹介する際に述べたように、ひと口に実在論といってもその内容は多義的なので、それがどのような実在論であるかを明確にする必要がある。当然そのことは、新実在論にも当てはまる。

では、新実在論は、いかなる意味で「新しい」実在論なのか。ガブリエルがわかりやすい例で説明しているので、それを取り上げてみよう。次のような議論である。

アスリートさんがソレントにいて、ヴェズーヴィオ山を見ているちょうどそのときに、わたしたち（この話をしているわたしと、それを読んでいるあなた）はナポリにいて、同じヴェズーヴィオ山を見ているとします。すると、このシナリオに存在しているのは、ヴェズーヴィオ山、アスリートさんから（ソレントから）見られているヴェズーヴィオ山、わたしたちから（ナポリから）見られているヴェズーヴィオ山ということになります。（『なぜ世界は存在しないのか』）

この例を使って、ガブリエルは、形而上学（古い実在論）と構築主義と新実在論の違いを説明している。

まず形而上学（古い実在論）の立場では、「ただ一つの現実的な対象、すなわちヴェズーヴィオ山だけが存在する」。それに対して、構築主義の立場では、「三つの対象が存在している」。

一つはアスリートさんにとってのヴェズーヴィオ山、もう一つは私にとってのヴェズーヴィオ山、あと一つはあなたにとってのヴェズーヴィオ山だ。そうした現象とは別に、ヴェズーヴィオ山があるわけではない。

では、新実在論ではどうなるのだろうか。ガブリエルによれば、「このシナリオでは、少なくとも四つの対象が存在している」。それは次の四つである。

1　ヴェズーヴィオ山
2　ソレントから見られているヴェズーヴィオ山（アスリートさんの視点（パースペクティブ））
3　ナポリから見られているヴェズーヴィオ山（あなたの視点）
4　ナポリから見られているヴェズーヴィオ山（わたしの視点）

この説明は、やや期待はずれかもしれないが、新実在論の特質をよく示している。新実在論とは、どれか一つの立場を主張するのではなく、言ってしまえば、形而上学（古い実在論）も構築主義もすべて認めよう、という立場なのである。

　構築主義を批判したからといって、構築主義が排除されるわけではない。構築主義が批判されなければならないのは、「構築主義の立場だけが正しい」と主張した点にある。これが新実在論のスタンスであり、このやり方は他の議論でも繰り返される。

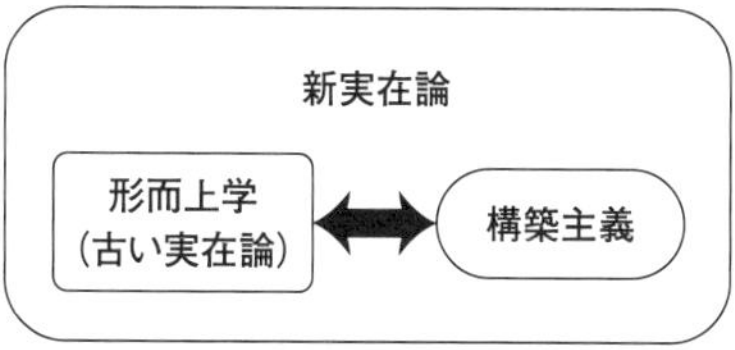

新実在論

形而上学
（古い実在論）

構築主義

新実在論の立場

　そこで新実在論と、それ以外の立場を図示すれば、上のようになるだろう。

　図を見るとより明らかなように、新実在論は形而上学（古い実在論）にしても、構築主義にしても、その主張そのものを否定するわけではない。否定されるべきは、自分たちの主張だけが正しく、正当な説明だとする偏狭（へんきょう）な態度であり、それこそが問題だというのである。

　このやり方は、どんな議論も理解できてしまうガブリエルの知性の優秀さとも関係しているかもしれない。彼は、ギリシア哲学から現代哲学まで、また大陸哲学から分析哲学まで、何でも語ることができる。

守備範囲の広範さは、哲学の領域にとどまらない。たとえば、現代科学から宗教、芸術にいたるまでを網羅している。このあたりに「天才哲学者」と呼ばれる所以（ゆえん）があるのかもしれない。いずれにしても、新実在論の立場を一言で表現すれば、すべてのもの、すべての分野を包括する理論と言うことができる。

ガブリエルの個人的な資質とは別に、新実在論の立場を特徴づけるとすれば、次の二点が指摘できるだろう。

一つは、さまざまな立場を否定したり排除したりしないで、すべてを包括することである。ある意味では「全能（オールマイティ）の神」のごとき立場に近い。たとえば、他から批判されたり、反論されたりしても、「それも一つの立場として、私のなかで位置づけておくことにしよう」とすることができる。

実際、新実在論では、「すべてのものが存在する」ことは原則になっている。たとえば、『なぜ世界は存在しないのか』の中で、ガブリエルは次のように述べている。

> 世界は存在しないという原則には、それ以外のすべてのものは存在しているということが含意されているわけです。したがって、いったん前もって、こうお約束することができます。わたしの主張によれば、あらゆるものが存在することになる――ただし

世界は別である、と。

しかし、もう一つの点として指摘したいのは、こうした最強の立場が、むしろ諸刃（もろは）の剣になるかもしれないことである。というのも、どんな立場も包括するという立場は、下手をすると「何でもあり」のポストモダンのように見えてしまうからだ。実際、「あらゆるものが存在する」という新実在論の立場では、ポストモダンを排除する理由もなくなってしまうだろう。

人間にとっての「意味」を考える

そうまでして、どうして新実在論はあらゆるものを包括する立場をとるのか。そこで注目したいのが、「意味（Sinn）」の概念である。この概念を抜きに、新実在論の議論は成立しない。

たとえば、ガブリエルが次のように語るとき、「意味」概念を考えなければ混乱するに違いない。

わたしたちの住む惑星、わたしの見るさまざまな夢、進化、水洗トイレ、脱毛症、さまざまな希望、素粒子、そして月面に棲む一角獣さえもが存在しています。(『なぜ世界は存在しないのか』)

これらはそれぞれ種類が違うし、同じように存在するとは言えない。そのとき重要なのが、「意味」の概念である。たとえば、「これらのものは同じ意味で存在するわけではない」と言えば、何となくわかったような気がするだろう。しかし、そのとき「意味」の概念をどう理解すればいいかがポイントになる。

ガブリエルも参照しているように、「意味」概念を考えるとき、確認しておくべきはフレーゲの古典的な論文「意味と指示対象について(Über Sinn und Bedeutung)」である。ここで問題になるSinnもBedeutungも、日本語に訳そうとするといずれも「意味」になってしまう。通常の翻訳では、「意義と意味について」となっているが、今度は日本語の語感として、「意義」と「意味」がどのように区別できるかは疑問だろう。そのため、ここではSinnを「意味」、Bedeutungを「指示対象」とすることにしたい。

その理由も含め、フレーゲの区別に触れておこう。フレーゲの例によれば、「宵(よい)の明星(みょうじょう)」と「明けの明星」は、言葉の「意味(Sinn)」としては区別され、違ったように理解できる。ところが、それらの「指示対象(Bedeutung)」は同じ「金星」である。

つまり、「Sinn」は違っていても、「Bedeutung」は同じである。ガブリエルは、「2＋2＝3＋1」という例を使って、次のように説明している。

> フレーゲは「2＋2」や「3＋1」を「与えられ方」と呼び、これを「意味（ジン）」と呼んでいます。それによれば、同一性命題で等置される二つ（以上）の表現それぞれの「意味」は異なっているが、それらの異なった表現が指し示している当のものは同一である……。フレーゲの用いる「与えられ方」という言葉の代わりに、わたしたちは「現象」という言葉を用いることにしましょう。すると、意味とは対象が現象する仕方のことである、と定義することができます。（前掲書）

こうしてガブリエルは、対象であれ事実であれ、必ず「意味」にもとづいて理解することになる。「意味の場とは、何らかのもの、つまりもろもろの特定の対象が、何らかの特定の仕方で現象してくる領域です」。同じ対象でも、意味の場が違えば、異なって現象するわけである。

強調すべきは、どんなものでも、「意味の場」を除外しては理解できないということである。たとえば、あるもの（Xとする）を理解するとき、ある意味の場（Yとする）が必要になるだろう。文にすれば、「XはYという意味の場において存在する」という具合にである。したがって、同じもの（X）でも、意味の場が異なれば（Y_1、Y_2、Y_3……というように）、違ったように理解しなくてはならない。

このように、多様な「意味の場」を認めるところに、新実在論の真骨頂があると言える。

> 意味の場の外部には、対象も事実も存在しません。存在するものは、すべて何らかの意味の場のなかに現象します（いっそう正確に言えば、無限に多くの意味の場のなかに、とさえ言えます）。「存在する」とは、何らかの意味の場のなかに現象するということにほかなりません。（前掲書）

ところで、じつはこうした「意味の場」という概念こそが、新実在論を人間主義として規定するものなのである。というのも、人間に対してどう現象するかが、「意味」概念の基本だからだ。「意味」を考えることは、すなわち人間にとっての意味を考えることにほかならない。

とはいえ、ガブリエル自身はかなり慎重なので、人間主義的な色彩を感じさせないように注意を与えている。「存在論的な観点からすれば、それを人間が経験するかどうかには、副次的な役割しかありません」。人間主義を強く打ち出しすぎると、構築主義と変わりがないように見えてしまうので、「人間が経験するかどうか」とは切り離したいのだろう。

しかし、現象にしろ、意味にしろ、人間との関係を完全に除外して、はたして本当に成り立つのかという疑問がわいてくる。そこで次にフェラーリスが提示する「ドキュメント性」という概念を取り上げてみよう。

ドキュメント性とテクスト性の違い

「ドキュメント性（Documentality）」という概念は、フェラーリスが新実在論を展開するときのキーワードになっている。ドキュメントという言葉は、日常的には「記録」とか「文書」といった意味で使われるが、これを哲学的に概念化したのが「ドキュメント性」である。

このとき注目したいのは、ジャック・デリダが、あるいはポストモダン哲学がしばしば使う「テクスト性」という概念との対比である。「テクスト性」と「ドキュメント性」を対比すれば、ポストモダンとの違いも明らかになるだろう。

まず「テクスト性」は、デリダが語った文言「テクスト外なるものは存在しない」に起源がある。

たとえ読解がテクストの重複に甘んじるべきではないとしても、読解はテクストに背いてそれ以外のものに、つまり一つの〈指示物〉（形而上学的、歴史的、心理＝伝記的、等々の現実）に向い、あるいはテクスト外の〈意味されるもの〉――この内実は言語の外に、つまりふつう言われる意味での文章表現(エクリチュール)一般の外に場をもち得るだろうし、もち得たであろうものなのだが――に、向うのは正当ではない。……テクスト外なるものは存在しない。（『根源の彼方に』）

これは『根源の彼方に』の中にある文言だが、注意したいのはその文脈である。というのも、そこではルソーのテクストをどう理解するかについて、語られているからだ。ところが、ポストモダン哲学では、この議論をデリダの意図を離れて一般化し、「解釈されたもの以外には何も存在しない」というテクスト主義へと拡張した。こうして、「テクスト外なるものは存在しない」というフレーズが、ポストモダン的な構築主義の典型的な標語となったわけである。

これに対して、フェラーリスは「ドキュメント性」という概念を対置している。だが、「テクスト性」と「ドキュメント性」はどう違うのだろうか。それを理解するため、フェラーリスが「もの」について提示した分類を、確認しておきたい（『新実在論宣言』より。丸数字は筆者）。

私はものを三つのクラスに分類することを提案した。
①主観から独立して、時間と空間のなかに存在する自然的なもの
②主観に依存して、時間と空間のなかに存在する社会的なもの
③主観から独立して、時間と空間の外に存在する理念的なもの

つまり、「自然的なもの（natural objects）」「社会的なもの（social objects）」「理念的なもの（ideal objects）」の三つである。この分類で、「ドキュメント性」に対応するのは、②「社会的なもの」である。つまり、「ドキュメント性」が語られるのは、社会的なものについてなのである。

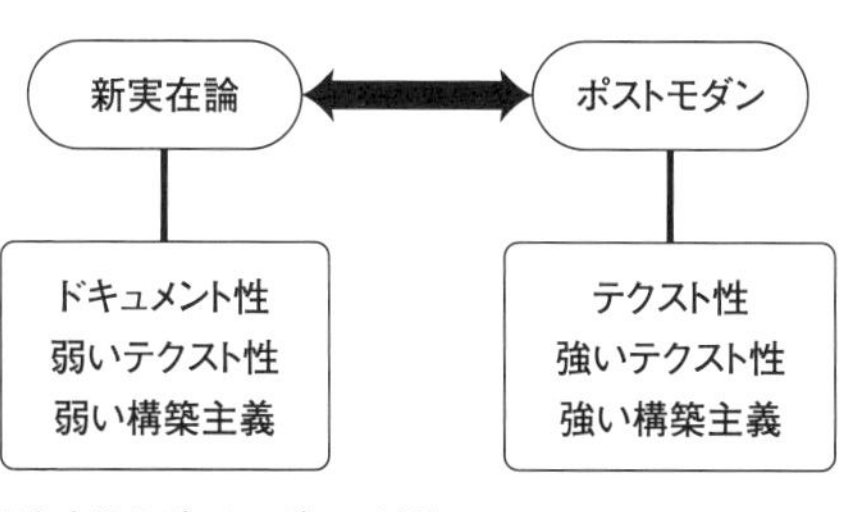

新実在論とポストモダンの対比

フェラーリスによる「もの」の分類

	主観に依存する	主観に依存しない
時空の中	人工的なもの、社会的なもの	自然的なもの
時空の外		理念的なもの

この分類で注目したいのは、「主観に依存する」かどうかという観点である。フェラーリスによれば、自然的なもの（たとえばテーブルや椅子が挙げられている）は主観から独立して存在するのに対して、社会的なもの（たとえば結婚式や葬式）は主観に依存して存在する。また、理念的なもの（たとえば数や定理）は、主観から独立して存在する。

ここからわかるのは、実在論とはいっても、社会的なものについては、「主観に依存的」だと考えられていることだ。そのため、「ドキュメント性」という概念は、「弱いテクスト主義」ないし「弱い構築主義」を前提としている。それに比べ、ポストモダンによって実践されたのは、「強いテクスト主義」ないし「強い構築主義」であると、フェラーリスは言う。では、「強い」と「弱い」の違いはどこにあるのだろうか。

ポイントになるのは、「弱い構築主義」が社会的なものだけに限定されていることだ。自然的なものと理念的なものは、「主観に依存せず、独立して存在する」。ところが、ポストモダンの「強い構築主義」は、「実在一般（reality in general）」について構成的である。

さらに、「もの」の分類について言えば、フェラーリスは「人工的なもの」（たとえば携帯電話やコンピュータ）にも言及し、それが主観に依存的であり、時間と空間の中に存在する、と規定している。この点では、「人工的なもの」も「ドキュメント性」と同じように理解できるだろう。そこで、「もの」の全体を表にすれば、右のようになる。

このように考えていくと、フェラーリスの新実在論が、ポストモダンをすべて排除するわけではないことがわかるだろう。新実在論と言えども、社会的なものや人工的なものについては、構築主義をとらざるをえない。その点においても、やはり新実在論は人間主義的である、と言わなくてはならないだろう。

3　新実在論から新実存主義へ

近年、科学技術の発展によって、科学的自然主義やポスト・ヒューマニズムが社会に浸透しつつあり、このことに対する漠然とした不安や恐怖を多くの人が持つようになった。それらを払拭したのが、マルクス・ガブリエルの実践的な主張ではなかっただろうか。

彼は『「私」は脳ではない』を出版し、自分の思想的立場を「新(ネオ)実存主義」と呼ぶとともにに、科学的自然主義やポスト・ヒューマニズムを厳しく批判した。その中に、もしかしたら多くの人々は自分たちの哲学的な表現を見出したのかもしれない。その感覚は適切なのだろうか、それとも誤解だろうか。

新実存主義とは何か

『なぜ世界は存在しないのか』において新実在論を宣言したあと、マルクス・ガブリエルは『「私」は脳ではない』を出版した。彼はこの本の中で、やや唐突に「新実存主義」の立場を打ち出し、読者を驚かせることになった。

私が話を進めていこうと思っている「精神の自由」という概念は、ジャン＝ポール・サルトル（一九〇五―一九八〇年）が提唱した、いわゆる「実存主義」と関連があります。サルトルは自身の哲学・文学作品の中で自由のイメージを描き出しました。彼が描いた自由のイメージの源は古典にあり、その足跡はフランス啓蒙思想、イマヌエル・カント、ドイツ観念論（ヨハン・ゴットリープ・フィヒテ、フリードリヒ・ヴィルヘルム・ヨーゼフ・シェリング、ゲオルク・ヴィルヘルム・フリードリヒ・ヘーゲル）、カール・マルクス、セーレン・キルケゴール、フリードリヒ・ニーチェ、ジークムント・フロイトほか、多くの人たちに見て取ることができます。……ここでは、共通する一つの理念の代表者として、これらの名を挙げました。その理念を、私は「ネオ実存主義」と呼びます。

こう述べたあと、ガブリエルはみずから新実存主義者を標榜するのである。しかし、いままで新実在論を主張していたのに、どうして今度は新実存主義を語るのだろうか。

一般に、実存主義と言えば、キルケゴールを始祖とし、ニーチェ、ハイデガー、サルトルなどの哲学が想定される。ところが、ガブリエルの考えでは、カントやドイツ観念論の哲学者たち、マルクスやフロイトまでも含むと見なされる。とすれば、一般に理解されている実存主義とは、違った実在主義が想定されていると考えなくてはならないだろう。では、彼の言う新実存主義とはどのようなものなのか。

新実存主義とは、「心」という、突き詰めてみれば乱雑そのものというしかない包括的用語に対応する、一個の現象や実在などありはしないという見解である。ふつう「心」という看板でひとくくりにされている現象は、明らかに物理的なものも現実に存在しないものも幅広く含む、ひとつのスペクトル上に位置づけられると考えるのだ。では、なぜ「心」という雑多な概念にさまざまな現象が包摂されるのだろうか。その理由は、いずれの現象も、純粋に物理的な宇宙や動物界のほかのメンバーから、人間が自分を区別しようとする試みに由来していることにある。（『新実存主義』）

少しわかりにくい文章なので、図示（次ページ）することにしよう。問題になっているのは、「心」という用語に対応する現象をどう理解するか、ということだ。先に見たように、現象というのは、「意味の場」であると説明されているので、次のように補足しておく。

ここで暗示されているのは、自然主義との対比である。自然主義は、「心」を自然科学という、ただ一つの現象、ないし意味の場で理解する。それと違って、新実存主義は「心」を多様な現象、つまり意味の場において捉えるのである。

この規定は、サルトルが語った「旧実存主義」とは説明が異なっているが、ガブリエルの提唱する新実在論とは整合的である。というのも、多様な意味の場を認めるのが、新実在論だったからである。だとすると、新実存主義とは、「心」に関する新実在論だと言ってもよいだろう。

しかし、どうしてガブリエルは「心」を一つの現象（意味の場）に限定することを拒否するのだろうか。ガブリエルは、心を持つ生物である人間を、次のように表現している。

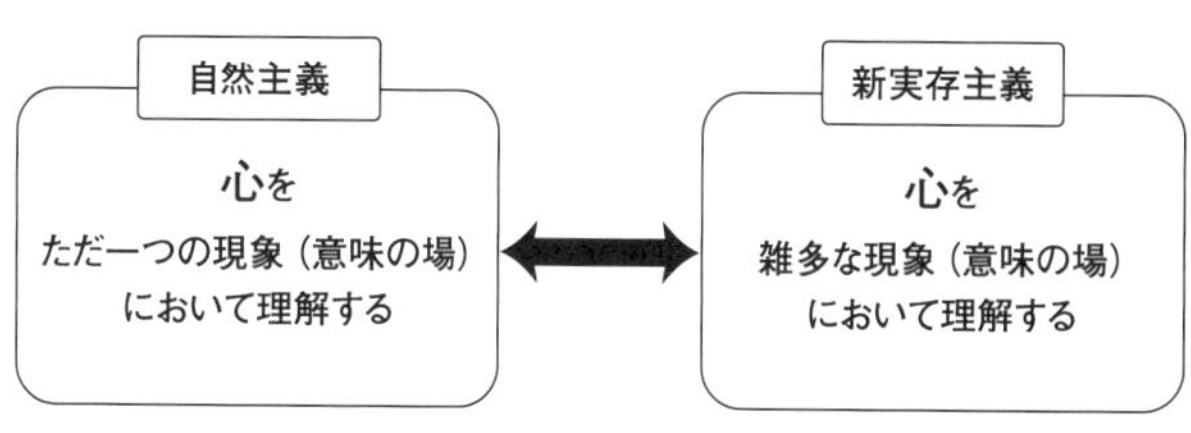

心と現象の関係

われわれは、物理法則が支配する無生物と、生物学的パラメータによって突き動かされる動物であふれた世界にただ溶け込んで生きているのではない。人間のそうした特異なありかたをさまざまなかたちで説明できるのが心的語彙であり、その説明能力をもつかぎりで心的語彙はひとつのグループとしてとらえることができる――。（前掲書）

ここで示されているのは、人間を物質的な存在と見なし（唯物論）、自然科学的にのみ説明すること（自然主義）への批判である。心を持った存在である人間は、唯物論や自然主義では捉えられないのだ。言いかえると、「心」を持つという点で、人間の独自性を強調するのが、新実存主義の基本的主張である。

自分たちに心があるという考えは、何千年にもわたる歴史のなかで育まれてきたものだが、その間、自分たちとほかの存在物との違いが心を表す言葉でしか説明できないことは自明とされてきた。人間という概念もこうした構造によって育まれたのだ。人間の概念がなければ、心と心をもたない自然との関係がどんなものになりうるか、疑問を抱くことすらないだろう。（前掲書）

このように見れば、ガブリエルの新実存主義が自然主義を拒否し、人間の「心」を重視する人間主義であることは明らかである。サルトルの旧実存主義とは異なるものの、人間の独自性に立脚し、唯物論や自然主義を拒否する点で、「新実存主義はヒューマニズムである」という同じ表現を用いることができるだろう。

反自然主義という基本的立場

もっとも、第一章第4節で簡単に触れたように、ひと口に自然主義といっても立場は一様ではない。とすれば、ガブリエルは自然主義をそもそもどう理解しているのか。彼は、『新実存主義』の中でヒラリー・パットナムの『科学の時代の哲学（*Philosophy in an Age of Science*）』から文章を引用している。

今日、「自然主義」という言葉は、次のように使うのがもっとも一般的といえそうだ。哲学者たち——形而上学、認識論、心の哲学、言語哲学の問題について論じている哲学者の大半と言っていいかもしれない——は、本や論文のここぞという箇所で、自分は「自然主義者」だとか、自分の擁護する見解や説明は「自然主義的」なものだと公言する。こうした発言は、そのタイミングも強調の仕方も、ソ連のスターリン時代の記事に見られたものとよく似ている。「この見解は同志スターリンのものとも一致する」というあれだ。この種の声明文と同じように、「自然主義的」でない（同志スターリンの見解とは一致しない）見解は、唾棄すべきものであり、正しいものではありえないことは明白だとされる。これは、「自然主義」がふつう定義せずに使われる点も一緒だ。

そのうえで、「自然主義は、存在するすべてのものは結局は自然科学的に調べることができる、という前提に立っています。また、そこには少なくとも、唯物論は正しい、という暗黙の了解があります」と言うのである。しかし、こうした説明はきわめて一般的であって、自然主義を批判するにしても漠然としすぎている。

そこでもう少し具体的に見てみれば、ガブリエルが想定する自然主義が「神経中心主義」

と呼ばれていることがわかる。

神経（ニューロ）中心主義の基本理念は、精神をもつ生物であることは、それにふさわしい脳があるということにほかならない、というものです。つまり、ごく簡単に言えば、神経中心主義は「私」は脳だ、と教えているのです。さらに、こうも教えています――「私」、「意識」、「自己」、「意志」、「自由」、あるいは「精神」などの概念を理解したいのなら、哲学や宗教、あるいは良識などに尋ねても無駄であり、脳を神経科学の手法で――進化生物学の手法と組み合わせれば最高だが――調べなければならないのだ、と。

（『「私」は脳ではない』）

この引用からわかるように、「神経中心主義」は、二つの解釈から成り立っている。一つは、「ニューロマニア」と呼ばれるもので、「自分の神経系、特に脳の働きについて絶えず知識を増やしていくことで自分自身を認識できる、という信念」である。

もう一つは、「過激ダーウィン進化論」と呼ばれるもので、次のような考えだ。「現在の人間の典型的な行動は、この惑星で繰り広げられた雑多な生物間の生き残り競争の中で人間が獲得した生存に有利な遺伝的素質を再現すればよく理解できる」。

人間の精神を理解するため、脳神経科学的に解明したり、遺伝子研究も含めて進化論的に解明したりすることは、最近ではごく一般的な手法となっている。そのため、ガブリエルにしても、「自然主義を支える幅広い事実」まで否定しない。進化論や遺伝子研究、さらには脳が心の「必要条件」である点も、認めている。そのため、「私は生物学的自然主義だといっていい」とさえ、主張している。

では、自然主義の何が問題なのだろうか。ガブリエルによると、自然主義が批判されるのは、自然主義を支える事実だけで、人間の精神を説明すべきだと考えることである。

まず区別すべきは、必要条件と十分条件です。これがしっかり区別できれば、仮に「脳がなければ我々は存在しない」としても、私たちが自分の脳と同一だと想定しなくてもよいことが明らかになるでしょう。（前掲書）

しかしながら、必要条件と十分条件を区別しないで、精神と脳を同一視する人が、はたしてどれほどいるのだろうか。その違いはおそらく、「良識があれば誰にでも分かることだと思います」と本人が書いている通りだろう。

マルクス・ガブリエルと道徳

面白いのは、ガブリエルのこうした反自然主義の根底に、きわめて道徳的な信念があることだ。その信念こそ、第一章で見た「人間の尊厳」である。そこで、ガブリエルが引用しているカントによる説明を、あらためて確認しておきたい。

すべてのものには価格か尊厳がある。価格があるものには、代わりにそれと等価の別のものをあてることができる。それに対して、あらゆる価格を超越しているものには尊厳がある。一般的な人間の関心と欲求に関わるものには市場価格がある。［…］だが、その条件下においてのみ何かが目的それ自体でありうる、そのような条件を形成するものには、単に相対的価値、つまり価格があるのではなく、内なる価値、つまり尊厳がある。（マルクス・ガブリエル『「私」は脳ではない』の中の引用部）

ところで、「人間の尊厳」にもとづいて、自然主義を批判するという構図は、同じドイツの哲学者ユルゲン・ハーバマスを彷彿(ほうふつ)させるかもしれない（もっとも、少し前に出版された中島隆博との対談書『全体主義の克服』の中で、ガブリエルはハーバマスの過去——ナチスドイツの青少年組織ヒトラー・ユーゲントの一員であったほか諸々——を暴露(ばくろ)しているので否定するに違いないが)。

もちろん、フランクフルト学派から出発し、コミュニケーション行為論を展開したハーバマスと、新実在論を提唱するガブリエルとは世代も理論も違う。しかし、道徳的な信念においては、ともにナチスへの批判をこめたドイツ的な「良識」にもとづいているので、二人の立場は意外と近いのかもしれない。とすれば、かつて「ドイツの良心」と評されたハーバマスの衣鉢を継ぐのは、ガブリエルなのかもしれない。

こうした見方は、ポストモダンやポスト・ヒューマニズムに対する態度を考えると、いっそう強化されるだろう。ハーバマスと同じように、ガブリエルも普遍主義の立場から自由で民主主義的な政治を擁護している。この印象は、次のようなポストモダンへの評言を読むと、打ち消しがたいものとなる。

私たちの生きる現代よりも自由を促すのに原則としてふさわしいポスト・ナントカ時代などありません。ポストモダンもポストヒューマニズムも、私たちが今日できるほどには自由の要求を満たすことはできません。(『「私」は脳ではない』)

ポストモダンやポスト・ヒューマニズムへの批判という点で言えば、すでにハーバマスが精力的に行ってきた。ガブリエルもまた、これに対してヒューマニズムの立場をより鮮明に打ち出すわけである。

たとえば、フーコーが『言葉と物』において、「人間の消滅」を宣言したことは、第一章第3節でも言及した。ガブリエルは『「私」は脳ではない』の最後の部分で、このフーコーの宣言に対して、次のような批判を提示している。

フーコーは、人間の時代は終わりを迎えるかもしれない、と結論しています。それどころか、彼は「その到来はきわめてはっきり予想できるが、その形とそれが何をもたらすかについては、現時点ではまだ分からない、そのような出来事」を期待しているのです。この書は、時代の終焉の見通しで、というより次のような、はっきりと賭けをするような文言で終わっています――「人間は海辺の砂に描かれた顔のように消えてしまう」。私は逆のことに賭けましょう！

この箇所を見ると、ガブリエルがなぜ新実存主義を提唱したかが、あらためて理解できるだろう。第一章第2節で述べたように、第二次大戦後、サルトルが実存主義を宣言したのは、「実存主義はヒューマニズムである」という講演においてだった。

この講演のあとで、ハイデガーがサルトルを批判して「人間を超える」ことを打ち出した。また、それを継承する形で「人間の消滅」を予想したのがフーコーだった。そして二一世紀、ガブリエルは実存主義が宣言したヒューマニズムをあらためて取り戻すべく、フーコーを批判しているのである。

4　道徳は現代世界を変えられるか

ここまで見てきたように、マルクス・ガブリエルの実践的立場はヒューマニズムであり、その立場から彼は現代世界のさまざまな事象を哲学的に解明し、それに応じた実践的指針を提示している。

それでは、彼は具体的にどのような指針を打ち出してきたのだろうか。ここでは、二〇二〇年に始まったコロナパンデミックと、資本主義や気候変動、情報テクノロジーに対する主張を見てみたい。

コロナパンデミックをどう理解するか

まず二〇二〇年初頭から全世界的に喫緊（きっきん）の問題となった新型コロナウイルス感染症に対して、ガブリエルがどう考えているのかを取り上げよう。

ガブリエルは、新型コロナウイルスが世界的に蔓延してから、折にふれて自分の考えを新聞などのメディアを通じて発表してきた。そのいくつかは日本でも紹介されている。そのため、彼のコロナ論も、ある程度知られているかもしれない。

しかし、短い論稿だと、彼がコロナ禍をどのように位置づけているのかわかりにくい。そこで二〇二〇年に出版された『暗い時代における道徳的進歩（*Moralischer Fortschritt in dunklen Zeiten*）』を見てみよう。その中で、彼は新型コロナウイルス感染症をはじめとしたアクチュアルな問題を論じている。

本書を読めばわかるように、ガブリエルはこの感染症をただの疫学的な問題として捉えてはいない。一般的に新型コロナウイルス感染症は、医学的で社会的な疫学的問題と考えられている。だが、ガブリエルはそれをまったく別の形で捉えているのだ。

コロナ危機は、「私たちは何者なのか」を以前よりも明確にするのであり、また「私たちが何者になりたいのか」について、新たに決定するための余地を開くのである。……コロナ危機は、私たちを生物学的普遍主義の要求に直面させるのだ。……コロナによって明らかになった道徳的問題を私たちが解決できるのは、道徳的進歩といった新たな歩みを切り開く場合だけだ。

ここからわかるように、ガブリエルにとって新型コロナウイルス感染症は、何よりも道徳的な問題である。しかしながら、なぜ新型コロナウイルスと道徳的進歩が結びつくのだろうか。このことを理解するには、彼の時代認識を考えておかなくてはならない。

出発点となるのは、第一章第4節で触れたフランシス・フクヤマの「歴史の終わり」という概念である。一九八九年に「ベルリンの壁」が崩壊することによって、リベラルデモクラシーが世界中を席巻し、最大の政治的な対立軸が消えてしまった。資本主義のグローバル化が進むと同時に、インターネットが整備されて情報のグローバル化も進展した。こうして「自由、平等、連帯、その市場経済的実現」があたかも自明な価値となったのである。

ところが二一世紀を迎えると、それらは次第に揺らぎ始める。その決定打が、二〇〇八年の金融危機であり、二〇二〇年のコロナパンデミックだった。結果、共産主義が崩壊して政治的な対立はすべて終わったと思われたのに、リベラルデモクラシーに対する声高な

批判が行われるようになった。

たとえば、トランプ時代のアメリカでは、フェイクニュースや陰謀論が飛び交い、過激な新反動主義が叫ばれた。世界的な連帯よりも、「アメリカ・ファースト！」が強調され、過激な右派の人種主義が台頭した。こうして最近では「歴史の復活」が語られ、さまざまな価値の対立が生じるようになってしまった、というわけである。

とすれば、必要となるのは新型コロナウイルス感染症に対して、科学的・医学的な観点でのみ対処することではないだろう。ガブリエルは「新たな社会モデルが必要である」と言う。そこで、鍵となるのが前節でも触れた「道徳」なのである。

1989年
歴史の終わり
21世紀
歴史の復活

ガブリエルの時代認識

道徳的進歩がなければ、いかなる人間の進歩も存在しない。新たな啓蒙が始まろうとしているこの時代において、人間の進歩が成り立つのは、科学的・技術的な進歩と倫理的に支持できる目標をもった道徳的進歩とが協同するときである。コロナウイルスは、ずっと前から生じていたことを、単にいっそう明白にしただけである。つまり、私たちはグローバルな啓蒙という新たな理念を必要とする、ということだ。（『暗い時代における道徳的進歩』）

なるほど、だが今日必要となる「グローバルな啓蒙」とは、どのようなものだろうか。ガブリエルは、次のように述べている。

ここでペーター・スローターダイクの表現を用いて、新たに解釈してみよう。私たちが必要とするのは、コミュニズム（共産主義 Kommunismus）ではなく、コイミュニズム（共免疫主義 Ko-immunismus）である。私たちを国民文化、人種、年齢集団、階級などに分け、互いに対抗させるようにけしかける精神の毒に対して、ワクチンを接種しなくてはならない。（前掲書）

ここでわかりにくいのは「共免疫主義」という概念だろう。「共免疫主義」における「免疫」は、医学的な免疫というより、「精神の毒」に対する免疫を指している。つまり、ガブリエルは世界で激化している対立・差別・暴力などに対する、集団的な精神の免疫が必要だということを述べているのである。

資本主義を道徳化する

重要なのは、私たちが目指すべきは「共産主義」ではない、と述べている点である。ここに「Kommunismus（共産主義）」を変形して、「Ko-immunismus（共免疫主義）」を打ち出した意図がある。

一九世紀にマルクスとエンゲルスが『共産党宣言』を出版して以来、共産主義は長いあいだ資本主義のオルタナティブと見なされてきた。この原理にもとづいて、二〇世紀には多くの社会主義国が誕生したのである。ところが、一九八九年にベルリンの壁が崩壊して以後、共産主義は資本主義のあとに来る社会の在り方としては認められなくなった。

ガブリエルもまた、資本主義に代わる社会として、社会主義や共産主義を想定していない。というより、むしろ資本主義と社会主義、共産主義の対立という構図こそが問題であると言う。

ポストコロナ社会の本質的な課題は、哲学的に考察すると、近代を二〇〇年ほど支配してきた「資本主義 VS. 共産主義」という論理から最終的に逃れることにある。市場経済はそれ自体ではよき生の敵対者ではなく、人間の搾取や社会的不平等へ自動的に導くわけでもない。（『暗い時代における道徳的進歩』）

資本主義のオルタナティブとして共産主義を考えることを、「共産主義仮説」と呼んでおこう。この仮説では、資本主義は必然的に人間を搾取する経済であり、よき生活に敵対する悪い経済だと想定されていた。ところが、ガブリエルによると問題なのは資本主義自体ではない。

共産主義が終焉したあと、「歴史の終わり」によって、資本主義はグローバル化を推し進め、世界中を市場経済のネットワークへと引き入れた。そうした資本主義の在り方は、一般に「ネオリベラルな資本主義」と呼ばれる。ガブリエルは、この「ネオリベラルな」資本主義こそが問題だと考えるのである。

コロナパンデミックは、最近三〇年ほど支配的な市場論理の多くの矛盾を露わにした。市場論理は、ネオリベラルな思考や経済的にのみ理解されたグローバル化……としっかり結びついている。……ネオリベラルな市場論理は最初、二〇〇八年の金融危機において、次にいっそう広い範囲に及ぶ二〇二〇年のコロナ危機において、破綻したのである。（前掲書）

では、ネオリベラルな資本主義の矛盾を克服するには、どうすればいいのだろうか。ガブリエルは、「経済の道徳的な形態、人間的な市場経済は可能である」と述べている。つまり、「ネオリベラルな市場経済から、道徳的・人間的な市場経済へ」というわけである。それにしても、市場経済を道徳化することなど、はたして可能なのだろうか。ガブリエルは必ずしも方法を具体的に述べてはいないが、次の箇所を見ると大よそのイメージはできる。

経済的な競争と道徳的な協力（Kooperation）との違いは、次の点にある。道徳的な協力はすべての人に向かい、それぞれの限界（文化や世代や人種などの想像上の限界のように、民族的なものであれ心的なものであれ）を克服するように促すのだ。（前掲書）

人々の間にあるさまざまな差異を乗りこえ、すべての人が平等になるように、協力・連帯を促すわけである。これをガブリエルは、アメリカの哲学者ロバート・ブランダムの概念を援用して、「グローバルな信頼の精神」と呼んでいる。もっとも、グローバルな信頼の精神にもとづいて、世界をどう変えていくのかは、いまのところ具体的には示されていないようである。

人類の脅威に対して

最後に、気候変動と情報テクノロジーについてのガブリエルの見解を見ておきたい。だが、そもそもこの二つがどうしていっしょに論じられるのか。たとえば、彼は次のように語っている。

自然科学的－テクノロジー的な進歩によって現実化した気候変動だけが、いわゆる生存（実存）のリスク（Existenzrisiko）、つまり自己破滅による我々の種の生存の脅威を示すわけではない。さらには、二〇世紀の二つの世界戦争によって情報テクノロジーの領域が急速にアップグレードされて、……私たちの生活世界をコンピュータ化へと導いた。このコンピュータ化の最近の段階、いわゆるデジタル化の本質は次の点にある。スマートフォン、ソーシャルメディア、検索マシーン、（車、飛行機、鉄道における）移動の制御装置などが、私たちの運動と思考のパラダイムとなっている。（前掲書）

ここで注目すべきは、「生存のリスク」である。つまり、人類という種が絶滅するかもしれない危機として、気候変動と情報テクノロジーが挙げられている。「自己破滅」という言葉からも明らかなように、人間自身がその危機をみずから招いた、という点で両者は通底していると考えられているのだ。

まず気候変動について言えば、これは「人間にとって、どんなウイルスよりも脅威的である」（前掲書）とされる。つまり、新型コロナウイルス感染症よりも、「気候の危機」のほうが甚大な影響を及ぼす、と見なしているわけである。ただし気になるのは、その根拠が具体的な形で示されていないことだ。

他方で情報テクノロジーはどうだろう。気候変動はともかく、情報テクノロジーが私たちの生存を脅かすというのはどういうことだろうか。ここでイメージされているのは、人工知能やロボット工学の進化である。それによって、すでに人間が仕事を失ったり、チェスや囲碁などで、人間のチャンピオンが人工知能に打ち負かされたりしている。ガブリエルは、物理学者ホーキングがＢＢＣで語った発言を取り上げている。

> 私たち人間は、近い将来において到来する超知性（スーパーインテリジェンス）に打ち負かされ、服従し、消滅させられる。その超知性は、このようにして、地上において進化に対するコントロールを引き継ぐことになる。（前掲書）

こうした人工知能の進化に対する未来像は、もはや現代では人口に膾炙（かいしゃ）していると言えるだろう。では、ガブリエルはこの状況に対して、何を対置させるのか。もちろんそれは、道徳的な観点である。

道徳的事実の発見においていつでも問題となるのは、自由で精神的な生物としての私たち自身であるので、道徳的進歩は自然科学や社会科学の量的なモデル形成というメディアにおいてではなく、むしろ私たちの自己認識の水準で生じるのである。（前掲書）

とくに、カーツワイルがシンギュラリティ論を提示してから、人間が人工知能に支配されるかもしれない、という未来予想は多く語られるようになった。ガブリエルは、こうした未来予想に対して、「道徳」によって人間の自由を保持しようとしているのである。だが、これがどのような条件において可能となるかは、必ずしも明示されていない。

終章　転換期の哲学者たち

ヒューマニズムかポスト・ヒューマニズムか

ここまでで二一世紀の哲学とともに、ヒューマニズムとポスト・ヒューマニズムの対立を、大づかみに理解いただけたのではないだろうか。

思弁的実在論は、内部から見ると決して一枚岩の立場ではないが、相関主義批判という点では一致していた。この批判が、人間主義からの脱却を目指していたのは了解できるだろう。

たとえば、「思弁的実在論とは何か」というサブタイトルのついたスティーブン・シャヴィロの『モノたちの宇宙』でも、思弁的実在論が「西欧近代の合理性の核心であった人間中心主義という想定に疑問を投げかけている」と語られている。

だとすれば、思弁的実在論について、これをポスト・ヒューマニズムの思想だと言っても、あながち間違ってはいないだろう。内部ではそれぞれ多様な違いがあっても、思弁的実在論が人間の特権性を排して、「モノたちの平等な世界」へ向かっているのは、確かである。

それに対して、新実在論はポスト・ヒューマニズムを批判しつつ、古いヒューマニズムに固執する。たとえば、マルクス・ガブリエルが新実存主義を提唱するのも、「実存主義はヒューマニズムである」（サルトル）と考えるからだ。また、『「私」は脳ではない』の最後において、フーコーが明言した「人間の消滅」に対抗して、「私は逆のことに賭けましょう！」と強調するのも、ヒューマニズムを擁護するためである。

こう考えると、新実在論者である彼が、どうしてカントの道徳論を引き合いに出して、「人間の尊厳」に訴えるのかが、理解できるのではないだろうか。新実在論は、ヒューマニズムの伝統に立った哲学なのだ。だとすれば、新実在論は哲学の新たな潮流というより、むしろ近代哲学の伝統を継承する哲学と言うべきかもしれない。

それでは、加速主義はどうだろうか。ニック・ランドは一九九〇年代の論文で、「ヒューマン・セキュリティ・システム」という言葉を使って、人間を特権化するような体制を、厳しく批判していた。たとえば、映画の『ブレードランナー』を想定しながら、次のように述べている。「近い将来、レプリカントたちは……その偽装した姿から現れ出て、ヒューマン・セキュリティ・システムを打ち破ることになる」（『牙のある精神』）。

この思想の前提となっているのは、ドゥルーズ＝ガタリの「動物になる」という発想である。これは、人間が「非人間的なものになること」を問題としており、「動物」に限定されるものではない。ドゥルーズ＝ガタリの思想は、人間のあり方を他の非人間的なものから遮断せず、両者の境界を取り去ってしまう。この発想を受けて、ランドはヒューマン・セキュリティ・システムを超えていこうとした、と言えるだろう。

だとすれば、加速主義がポスト・ヒューマニズムの側に立つことは明らかであろう。これは、加速主義がバイオテクノロジーや情報テクノロジーにどうかかわるかを見ると、いっそうはっきりする。

バイオテクノロジーと情報テクノロジー

「ヒューマン・セキュリティ・システム」を超えること、これが当初からランドが抱いていた発想だった。しかし、それは当初、SFの世界の出来事として論じられていたにすぎない。ところが、二一世紀になると、こうした考えは遺伝子工学によって、現実的な話として語られるようになる。

『暗黒の啓蒙書』において、人種の問題を議論するとき、ランドのポスト・ヒューマニズムが具体的に明らかにされる。彼は、「生物工学をつうじて人間の生物学的な同一性を揮発させる」と語り、現代のテクノロジー状況について、次のような考えを提示している。

本当のところわれわれはどのようなものであるのかを学ぶことと、われわれ自身をテクノロジーによって左右される偶発的な存在として、言いかえれば、精密で科学的情報にもとづく変形の余地を残した、技術的に可塑的(テクノプラスティック)な存在として再定義することのあいだに、本質的な違いは存在しない。

その後、ランドは、こうした状況が「人間という種を消滅させていく」という予想を明らかにしている。

一方で、新実在論はテクノロジーをどう考えるのだろうか。遺伝子工学を主題とした議論はあまりないが、ガブリエルのスタンスを知るには、次の言及が参考になるだろう。

対するはイデオロギーで、その中心的意図は、時代から時代へと移り変わりながらも人間自身をこの世から消し去ろうとする人間の試みにある、と私は見ています。この試みは今日多くの姿をしており、中にはトランスヒューマニズムとポストヒューマニズムのまわりをまわっているものもあります。つまり、人間の時代は終わった、なぜなら我々は未来のサイボーグとして人間の生物学的性質を凌駕していくのだから、という考えを中心に据えているのです。(『「私」は脳ではない』)

ランドとガブリエルの違いは、単なる見解の相違といった表面的なものではない。それは情報テクノロジーに対する態度を見ると、いっそう明らかになるだろう。たとえば、「人工知能、機械学習、ロボット工学の領域での進展によって、労働世界の脅威が存在するように見える」と指摘したあと、ガブリエルは次のように述べている。

多くの人々、たとえば大富豪のイーロン・マスクや物理学者のスティーヴン・ホーキングなどの推測によれば、私たち人間は、近い将来において到来する超知性（スーパーインテリジェンス）に打ち負かされ、服従し、消滅させられる。その超知性は、このようにして、地上において進化に対するコントロールを引き継ぐことになる。（『暗い時代における道徳的進歩』）

しかしながら、加速主義者にとっては、ロボットやＡＩの進化は脅威どころか、むしろ新たなチャンスを生み出すものである。いままで、人間は苦役として、長時間の労働に耐えなくてはならなかった。ところが、情報テクノロジーの進展によって、人間は労働から解放されるのだ。人間の代わりに、ロボットやＡＩが働いてくれ、しかもいままで以上の生産性が可能になるので、喜ばしいことではないか、というわけである。

こうした社会を、スルニチェクとウィリアムズは、「ポスト労働の世界」と呼び、その実現に向けて熱く語っている。

二一世紀の技術的なインフラは、いままでとは違った政治的・経済的なシステムが達成できるような、さまざまなリソースを産出するだろう。……オートメーションの新たな波は、退屈で屈辱的な仕事の巨大な領域に対して、永久的に消去できる可能性をつくり出すだろう。（『未来を発明する』）

こうした表現はユートピア的に見えるかもしれないが、現代の情報テクノロジーの発展を考えると、まったく実現不可能というわけではない。有史以来、私たち人間を縛ってきた「労働倫理（働くことはよいことだ）」――これを捨て去る時期が来ているのかもしれない。少なくとも、テクノロジーの可能性をネガティブに評価するか、ポジティブに期待するかで、未来は大きく変わってくる。

資本主義をどうすべきか

さらに、資本主義についても、加速主義と新実在論では、まったく違った方向を目指している。

まず加速主義について言えば、その原則的な立場は、資本主義の下で生み出された「あらゆる技術的・科学的成果」を否定せず、むしろ加速化させることにある。ランドの加速主義にしても、スルニチェクやウィリアムズの左派加速主義にしても、この点は共通である。

> 資本主義の成果は逆転されるべきものではなく、資本主義的価値形態の拘束や制約を超えて加速されなければならないのである。（『加速主義読本』）

資本主義の技術的発展を加速させること、そこからその「出口」へ向かうこと――。ただ、この出口をどう考えるかで、加速主義は内部で対立している。

たとえば、すでに見たように、スルニチェクなど左派の加速主義は「ポスト労働の世界」を想定している。これに対してランドの加速主義は、近代の民主主義に対する批判が主要な課題となっている。たとえば、次の表現を見ておこう。

> 「声（ヴォイス）」とは民主主義それ自体のことである。……〈平等〉対〈自由〉ではなく、〈声（ヴォイス）〉対〈出口（イグジット）〉、これこそが目下高まりつつあるオルタナティブであり……（『暗黒の啓蒙書』）

いずれの加速主義も、現状の資本主義・民主主義社会を容認するのではなく、その外に出ることを強く求めている。しかし、それがどのようなものかは、必ずしもはっきりしてはいない。

左派の加速主義とランドの加速主義において、一つだけ共通しているのは、社会主義や共産主義を目的としていないことだろう。左派の加速主義は「ポスト労働の世界」をポスト資本主義として語りはするが、それを社会主義や共産主義と呼ばない。ランドも資本主義からの出口を強調するが、社会主義についてては批判している。

たしかに社会主義や共産主義という概念は、現実の歴史の中でさまざまな付着物がつきまとい、ストレートに擁護できないものとなっている。しかし、ポスト資本主義を考えるかぎり、その具体的な形態を何かしらの形で名づける必要はあるのではないだろうか。

それに対して、ガブリエルは基本的な立場として、資本主義を否定したり、ポスト資本主義を構想したりしない。むしろすでに見たように、次のように語るのである。

それゆえ、……本質的な課題は、近代を二〇〇年ほど支配してきた「資本主義対共産主義」といった論理から最終的に逃れることにある。市場経済はそれ自体ではよき生の敵対者ではなく、人間の搾取や社会的な不平等へ自動的に導くわけではない。(『暗い時代における道徳的進歩』)

ガブリエルにしても、「ネオリベラルな資本主義」の暴虐性について、盲目的なわけではない。しかし、だからといって、資本主義の外に出ようとするわけではないのだ。彼は資本主義の枠内において、エゴイズムを抑制して、協力し合うことを求める。そのために必要となるのが、「道徳」なのである。そして「経済の道徳的な形態、つまり人間的な市場経済は可能である」と述べるのだ。

こうしたガブリエルの資本主義は、資本主義に道徳性を求める点で、「道徳的資本主義」と呼ぶことができる。「資本主義のあと」を目指すのではなく、資本主義をいかに道徳化するかを考えているということだ。資本主義論にかぎらず、ガブリエルの新実在論の原理となっているのが、「道徳主義」であることは、注意しておかなくてはならない。

自然主義に対する態度

理論的な次元での対立についても、まだ確認しておくことがある。本書でもたびたび触れてきた自然主義の問題である。

これは思弁的実在論や新実在論だけでなく、二一世紀の哲学を考えるうえで避けて通ることができない問題だ。そのため、マルクス・ガブリエルは、『「私」は脳ではない』において、次のように語っている。

自然主義や反自然主義が最終的に正しいか否か、という問いは哲学という名の学問的専門分野、並びに自然科学と精神科学の関係にとって意味があるばかりではありません。この問いは、私たち皆に関わっているのです。

すでに見たように、ガブリエルは「反自然主義」の立場を採用する。すなわち、「存在するすべてのものが実際に科学的に調査可能であるわけでも、物質であるわけでもない、という前提に立っている」。

そのため、彼は人間の遺伝子改変にも、また人間を機械と結びつけサイボーグ化することにも、さらには人間の脳をコンピュータにアップロードすることにも反対する。また、脳科学によって人間の精神を解明できると見なす自然主義を、「神経中心主義」と呼んで厳しく批判している。

こうした事情のため、彼は早い時期からメイヤスーに対して、自然主義批判を展開していた（第四章参照）。しかし、メイヤスーの思弁的唯物論は、数学的存在の絶対性を主張しており、それを自然主義として批判することには疑問が残るだろう。一方、ブラシエであれば、みずから科学的自然主義を標榜し、デネットやチャーチランドの自然主義を高く評価している。したがって、ブラシエの理解が正当かどうかは別にして、彼を自然主義者として取り扱うことは問題ないだろう。

また、思弁的実在論の哲学者がすべて、自然主義というわけではない。たとえば、ハーマンとグラントの立場は、おそらく自然主義としては理解できないのではないだろうか。だとすれば、思弁的実在論の内部でも、自然主義と反自然主義の対立があると考えたほうがいい。したがって、この問題については全体として論じるのは危険であり、個別に検討すべきであろう。

それでも加速主義者たちは、基本的に自然主義と考えてよい。彼らは、自然科学的知識にもとづいて、人間の改造を企（くわだ）てているからである。端的にそれはテクノロジーによるものであり、自然科学なしにテクノロジーを考えることは不可能だろう。

哲学者たちの奮闘

いま挙げてきたさまざまな論点の対立から、何が言えるだろうか。そのことを考えるために、最後に二〇二〇年からの新型コロナウイルス感染症のパンデミックを取り上げてみたい。今回のコロナパンデミックこそ、近代からポスト近代社会への移行を象徴するもののように思えるからだ。

周知のように、フーコーは『監獄の誕生』の中で、近代社会のモデルとして、ベンサムが考案した「パノプティコン（一望監視施設）」を描いている。これは、人々を同じ場所に集め、多様な形で配分して、規律訓練する効果的なシステムだ。近代社会では、学校、工場、軍隊、病院、寄宿舎などが、監獄と同じ形式になっている。近代人は、こうした集団化の中で規律訓練され、社会的な秩序を形成して生活している。

こうした近代的な「パノプティコン」を描くとき、フーコーの念頭にあったのは、ペストとの対応関係だった。たとえば、次のような記述を見れば、一目瞭然であろう。

閉鎖され、細分され、各所で監視されるこの空間、そこでは個々人は固定した場所に組み入れられ、どんな些細な動きも取締られ、あらゆる出来事が記帳され、中断のない書記作業が都市の中枢部と周辺部をつなぎ、権力は、階層秩序的な連続した図柄をもとに一様に行使され、たえず各個人は評定され検査されて、生存者・病者・死者にふりわけられる——こうしたすべてが規律・訓練的な装置のまとまりのよいモデルを

> 組立てるのである。ペストの蔓延に対応するのが秩序であって、それはすべての混乱を解明する機能をもつ（『監獄の誕生』）。

近代社会に対応した病がペストだとすれば、それ以前の社会についてはどう考えたらいいのか。フーコーが名前を挙げているのは、「癩病」（ハンセン病）である。

> 癩病は排除の祭式をもたらし、その祭式は〈大いなる閉じ込め〉のモデルおよび言わばその一般的形式を或る程度まで提供したのは事実だが、ペストのほうは規律・訓練の図式をもたらした。（前掲書）

他方で、フーコーがペストを例として語った近代社会の分析は、現代でも有効と言えるだろうか。私たちは、むしろドゥルーズが次のように語ることに、共感を覚えるのではないか。

> 私たちが「管理社会」に足を踏み入れているのはたしかです。社会はもはや規律型とは言いきれないものになっているのです。フーコーは、規律社会と、その主たる技法

である「監禁」（病院や監獄だけでなく、学校や工場や兵舎もそこに含まれる）の思想家とみなされることが多い。しかし、じつをいうと、フーコーは、規律社会とは私たちがそこから脱却しようとしている社会であり、規律社会はもはや私たちとは無縁だということを述べた先駆者のひとりなのです。（『記号と事件』）

ドゥルーズ＝ガタリは、フーコーのように感染症と社会の対応関係を示したわけではなかったが、あえて当てはめるとすれば、今回の新型コロナウイルス感染症がいちばん適切に思える。図式化すれば、上のようになるだろう。

近代 → ポスト近代
ペスト型 規律と訓練 → コロナ型 分散と管理

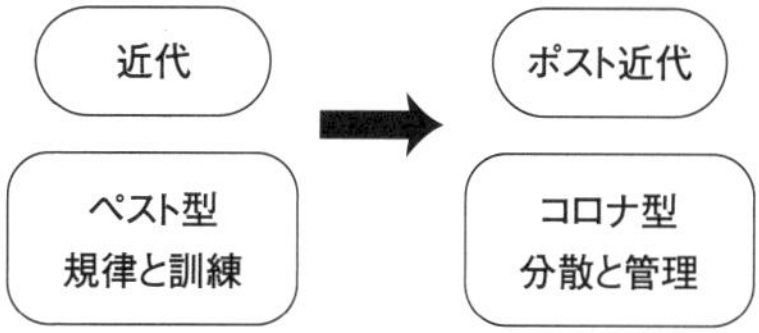

時代における社会モデル

つまり、近代がペストに対応する形で規律と訓練の社会を形成したとすれば、ポスト近代の社会はコロナ型の社会を形成する。フーコーが想定していた近代社会は、直接目で監視し、手とペンで記録する、という形でアナログ技術にもとづいていた。

ところが、ポスト近代の社会では、コンピュータとそのネットワークを使って、いつでもどこでも管理するデジタル技術が中心となる。ヒューマニズムからポスト・ヒューマニズムへの転回は、まさにこうした時代の変化に即した形で必然的に起こったものだと考えられる。

　この時代の動きにどう対応すべきかについて、あらかじめ決まった答えが用意されているわけではない。だが、私たちと同時代の哲学者たちの奮闘は、これから私たち自身が何かを考える際の、大きな手引きとなるに違いない。

おわりに

二〇世紀の後半から始まったテクノロジーの革命は、今後私たちをどこへ導くのだろうか。そして、このテクノロジー革命の時代に、私たちは何を、どう考えたらいいのだろうか。こうした問いの下で、二一世紀に登場した新たな哲学を、ポスト・ヒューマニズムという視点からあらためて捉え直したのが、本書である。

テクノロジー革命について私は、二〇二一年一月に出版した本（『哲学と人類――ソクラテスからカント、21世紀の思想家まで』文藝春秋）で、ホモ・サピエンスの誕生以来の歴史をたどり、現代のテクノロジーが人類に何を突きつけているのかを描いた。

そこから明らかになったのは、いままで続いてきたホモ・サピエンスが終焉する可能性である。こうした可能性が、思想において現れたものが、ポスト・ヒューマニズムだ。「ポスト・ヒューマニズム」という言葉について言えば、日本ではまだ、あまり馴染み深くはないだろう。しかし、今日のテクノロジー革命の帰趨（きすう）を考えるとき、「ポスト・ヒューマニズム」と表現するのがもっとも適切である。

近代社会は、近代テクノロジーにもとづくヒューマニズムの時代だった。それに対して、これから到来する時代はポスト近代的なテクノロジーにもとづく、ポスト・ヒューマニズムをめぐって展開されるに違いない。ポスト・ヒューマニズムは「二一世紀の時代精神」となるだろう。

もともとの動機から言えば、思弁的実在論、加速主義、新実在論といった哲学の新たな潮流に対して、手ごろな思想地図をつくりたいというものだった。しかし、地図を作成するためには、あらかじめ方位を定めねばならない。その原理となったのが、ヒューマニズムとポスト・ヒューマニズムだったのである。

表面的に見ると、そうした思想のいずれも、ポスト・ヒューマニズムといった言葉を口にしてはいない。ところが、それぞれの主張を子細（しさい）に検討すると、その根底に「ヒューマニズムからポスト・ヒューマニズムへの転換」という、歴史の大きな方向を読み取ることができる。


本書出版の経緯について書いておきたい。本書の構想は、ＮＨＫ出版の編集者山北健司さんからご依頼を受けたことから始まっている。最初の計画では、いま述べたように思弁的実在論、加速主義、新実在論といった哲学の新たな潮流に対して、手ごろな地図を描くというものだった。

ところが、山北さんと打ち合わせを重ねるうちに、ヒューマニズムとポスト・ヒューマニズムの観点を、強く打ち出すことになった。そうしなければ、それぞれの思想の祖述にはなっても、地図を描くことができないからである。こうして、現代のテクノロジー革命の思想的な帰結として、ここ二〇年ほどの哲学の動きをあらためて捉え直したわけである。

この試みが、はたして成功したかどうかは、読者の判断に委ねたいと思う。本書がもし、現代の哲学的潮流を理解するうえで役に立つことがあれば、望外の喜びと言うべきであろう。こうした形で出版できたのは、山北さんの企画と適切なアドバイスによるものである。この場を借りて、深くお礼申し上げたい。

二〇二一年九月

岡本裕一朗

主要参考文献

＊翻訳があるものは、訳書のみで原書は省略

ロージ・ブライドッティ『ポストヒューマン──新しい人文学に向けて』門林岳史／大貫菜穂／篠木涼／唄邦弘／福田安佐子／増田展大／松谷容作訳、フィルムアート社、二〇一九年

Rosi Braidotti & Maria Hlavajova (eds.), *Posthuman Glossary*, Bloomsbury: London, 2018.

ペーター・スローターダイク『「人間園」の規則──ハイデッガーの「ヒューマニズム書簡」に対する返書』仲正昌樹訳、御茶の水書房、二〇〇〇年

レイ・カーツワイル『ポスト・ヒューマン誕生──コンピュータが人類の知性を超えるとき』井上健監訳、小野木明恵／野中香方子／福田実共訳、ＮＨＫ出版、二〇〇七年

ニック・ボストロム『スーパーインテリジェンス──超絶ＡＩと人類の命運』倉骨彰訳、日本経済新聞出版社、二〇一七年

ユヴァル・ノア・ハラリ『サピエンス全史（上・下）──文明の構造と人類の幸福』柴田裕之訳、河出書房新社、二〇一六年

ユヴァル・ノア・ハラリ『ホモ・デウス（上・下）──テクノロジーとサピエンスの未来』柴田裕之訳、河出書房新社、二〇一八年

リン・ホワイト『機械と神──生態学的危機の歴史的根源』青木靖三訳、みすず書房、一九九九年

Paul Jozef Crutzen, "Geology of mankind", *Nature*, 415(6867):23, 2002.

フリードリッヒ・ニーチェ『ニーチェ全集〈12・13〉権力への意志〈上・下〉』原佑訳、ちくま学芸文庫、一九九三年
フリードリヒ・ニーチェ『愉しい学問』森一郎訳、講談社学術文庫、二〇一七年
ホルクハイマー／アドルノ『啓蒙の弁証法――哲学的断想』徳永恂訳、岩波文庫、二〇〇七年
J-P・サルトル『実存主義とは何か』伊吹武彦訳、人文書院、一九九六年
マルティン・ハイデッガー『「ヒューマニズム」について――パリのジャン・ボーフレに宛てた書簡』渡邊二郎訳、ちくま学芸文庫、一九九七年
ニーチェ『ツァラトゥストラ〈I・II〉』手塚富雄訳、中公クラシックス、二〇〇二年
ミシェル・フーコー『言葉と物――人文科学の考古学』渡辺一民／佐々木明訳、新潮社、一九七四年
フランシス・フクヤマ『人間の終わり――バイオテクノロジーはなぜ危険か』鈴木淑美訳、ダイヤモンド社、二〇〇二年
グレゴリー・ストック『それでもヒトは人体を改変する――遺伝子工学の最前線から』垂水雄二訳、早川書房、二〇〇三年
アレクサンドル・コジェーヴ『ヘーゲル読解入門――「精神現象学」を読む』上妻精／今野雅方訳、国文社、一九八七年
ペーター・スローターダイク『シニカル理性批判』高田珠樹訳、ミネルヴァ書房、一九九六年
ショーペンハウアー『意志と表象としての世界〈I・II・III〉』西尾幹二訳、中公クラシックス、二〇〇四年
ニーチェ『悲劇の誕生』西尾幹二訳、中公クラシックス、二〇〇四年

デイヴィッド・ベネター『生まれてこないほうが良かった——存在してしまうことの害悪』小島和男／田村宜義訳、すずさわ書店、二〇一七年
ユルゲン・ハーバーマス『人間の将来とバイオエシックス』三島憲一訳、法政大学出版局、二〇一二年
カント「人倫の形而上学」樽井正義／池尾恭一訳『カント全集第11巻』岩波書店、二〇〇二年
N. Bostrom,"In Defense of Posthuman Dignity", *Bioethics*, Vol.19, no.3, 2005.
ダニエル・C・デネット『自由は進化する』山形浩生訳、NTT出版、二〇〇五年
ポール・M・チャーチランド「消去的唯物論と命題的態度」関森隆史訳、信原幸弘編『シリーズ心の哲学Ⅲ 翻訳篇』勁草書房、二〇〇四年
ジル・ドゥルーズ『記号と事件——1972—1990年の対話』宮林寛訳、河出書房新社、一九九二年
Levi Bryant, Nick Srnicek and. Graham Harman (eds.), *The Speculative Turn: Continental Materialism and Realism*, Lightning Source Inc, 2013.
Slavoj Žižek, *Less Than Nothing: Hegel and the Shadow of Dialectical Materialism*, Verso: London, 2012.
グレアム・ハーマン『思弁的実在論入門』上尾真道／森元斎訳、人文書院、二〇二〇年
KRONOS – metafizyka, kultura, religia, Numery, 1(16), 2011.
カンタン・メイヤスー『有限性の後で——偶然性の必然性についての試論』千葉雅也／大橋完太郎／星野太訳、人文書院、二〇一六年
Collapse: Philosophical Research and Development VOLUME III, Urbanomic, 2007.
Ray Brassier, *Nihil Unbound: Enlightenment and Extinction*, Palgrave Macmillan, 2007.

Iain Hamilton Grant, *Philosophies of Nature after Schelling*, Continuum, 2008.

Graham Harman, *Object-Oriented Ontology*, Pelican, 2018.

グレアム・ハーマン『四方対象――オブジェクト指向存在論入門』岡嶋隆佑監訳、山下智弘／鈴木優花／石井雅巳訳、人文書院、二〇一七年

Graham Harman, "The Road to Objects", *Continent*, 1(3): 171-179, 2011.

カーステン・ヘルマン＝ピラート／イヴァン・ボルディレフ『現代経済学のヘーゲル的転回――社会科学の制度論的基礎』岡本裕一朗／瀧澤弘和訳、ＮＴＴ出版、二〇一七年

ブリュノ・ラトゥール『社会的なものを組み直す――アクターネットワーク理論入門』伊藤嘉高訳、法政大学出版局、二〇一九年

グレアム・ハーマン『非唯物論――オブジェクトと社会理論』上野俊哉訳、河出書房新社、二〇一九年

ティモシー・モートン『自然なきエコロジー――来たるべき環境哲学に向けて』篠原雅武訳、以文社、二〇一八年

Timothy Morton, *Being Ecological*, Pelican, 2018.

Nick Land, *Fanged Noumena: Collected Writings 1987-2007*, Urbanomic/Sequence Press, 2011.

ジル・ドゥルーズ／フェリックス・ガタリ『アンチ・オイディプス（上・下）――資本主義と分裂症』宇野邦一訳、河出文庫、二〇〇六年

ニック・ランド『暗黒の啓蒙書』五井健太郎訳、講談社、二〇二〇年

木澤佐登志『ニック・ランドと新反動主義――現代世界を覆う〈ダーク〉な思想』星海社新書、二〇一九年

Robin Mackay and Armen Avanessian (eds.), *#Accelerate: The Accelerationist Reader*, Urbanomic, 2014.

ジャン・フランソワ・リオタール『リビドー経済』杉山吉弘／吉谷啓次訳、法政大学出版局、一九九七年

Benjamin Noys, *The Persistence of the Negative: A Critique of Contemporary Continental Theory*, Edinburgh University Press, 2010.

マルクス／エンゲルス『共産党宣言』大内兵衛／向坂逸郎訳、岩波文庫、一九七一年

カール・マルクス『資本論　第1巻〈上・下〉（マルクス・コレクション）』今村仁司／鈴木直／三島憲一訳、筑摩書房、二〇〇五年

アントニオ・ネグリ／マイケル・ハート『〈帝国〉——グローバル化の世界秩序とマルチチュードの可能性』水嶋一憲／酒井隆史／浜邦彦／吉田俊実訳、以文社、二〇〇三年

ジル・ドゥルーズ／フェリックス・ガタリ『千のプラトー（上・中・下）——資本主義と分裂症』宇野邦一／小沢秋広／田中敏彦／豊崎光一／宮林寛／守中高明訳、河出書房新社、二〇一〇年

マーク・フィッシャー『資本主義リアリズム——「この道しかない」のか？』セバスチャン・ブロイ／河南瑠莉訳、堀之内出版、二〇一八年

マーク・フィッシャー『わが人生の幽霊たち——うつ病、憑在論、失われた未来』五井健太郎訳、Ｐヴァイン、二〇一九年

Mark Fisher, edited by Darren Ambrose with Simon Reynolds, *K-punk: The Collected and Unpublished Writings of Mark Fisher*, Repeater, 2018.

Mark Fisher, edited by Matt Colquhoun, *Postcapitalist Desire: The Final Lectures*, Repeater, 2021.

Nick Srnicek, Alex Williams, *Inventing the Future: Postcapitalism and a World Without Work*, Verso, 2015.

スラヴォイ・ジジェク『ポストモダンの共産主義――はじめは悲劇として、二度めは笑劇として』栗原百代訳、ちくま新書、二〇一〇年

マルクス・ガブリエル／スラヴォイ・ジジェク『神話・狂気・哄笑――ドイツ観念論における主体性』大河内泰樹／斎藤幸平監訳、飯泉佑介／池松辰男／岡崎佑香／岡崎龍訳、堀之内出版、二〇一五年

Maurizio Ferraris, translated by Sarah De Sanctis, foreword by Iain Hamilton Grant, *Introduction to New Realism*, Bloomsbury, 2015.

マルクス・ガブリエル『なぜ世界は存在しないのか』清水一浩訳、講談社選書メチエ、二〇一八年

ジャン＝フランソワ・リオタール『ポスト・モダンの条件――知・社会・言語ゲーム』小林康夫訳、水声社、一九八九年

ジャック・デリダ『根源の彼方に（上・下）――グラマトロジーについて』足立和浩訳、現代思潮社、一九七六年

Maurizio Ferraris, translated by Sarah De Sanctis, foreword by Graham Harman, *Manifesto of new realism*, SUNY, State University of New York Press, 2014.

マルクス・ガブリエル『「私」は脳ではない――21世紀のための精神の哲学』姫田多佳子訳、講談社選書メチエ、二〇一九年

マルクス・ガブリエル『新実存主義』廣瀬覚訳、岩波新書、二〇二〇年

マルクス・ガブリエル／中島隆博『全体主義の克服』集英社新書、二〇二〇年

Markus Gabriel, *Der Sinn des Denkens*, Ullstein Verlag GmbH, 2018.

Markus Gabriel, *Der Neue Realismus*, Suhrkamp Verlag AG, 2014.

Markus Gabriel, *Moralischer Fortschritt in dunklen Zeiten: Universale Werte für das 21. Jahrhundert*, Ullstein Verlag GmbH, 2020.

スティーヴン・シャヴィロ『モノたちの宇宙――思弁的実在論とは何か』上野俊哉訳、河出書房新社、二〇一六年

ミシェル・フーコー『監獄の誕生――監視と処罰』田村俶訳、新潮社、一九七七年

『現代思想』二〇一三年一月号四一巻第一号、二〇一四年一月号四二巻第一号、二〇一五年一月号四三巻第一号、二〇一五年六月号四三巻第一〇号、二〇一七年一二月号四五巻第二二号、二〇一八年一月号四六巻第一号、二〇一八年一〇月臨時増刊号四六巻第一四号、二〇一九年一月号四七巻第一号、二〇一九年六月号四七巻第八号、二〇一九年一一月号四七巻第一四号、青土社

岡本裕一朗 おかもと・ゆういちろう
1954年、福岡県生まれ。玉川大学文学部名誉教授。
九州大学大学院文学研究科哲学・倫理学専攻修了。博士(文学)。
専門は西洋近現代思想。
著書に『いま世界の哲学者が考えていること』(ダイヤモンド社)、
『フランス現代思想史——構造主義からデリダ以後へ』(中公新書)、
『答えのない世界に立ち向かう哲学講座』(早川書房)、
『哲学と人類——ソクラテスからカント、21世紀の思想家まで』
(文藝春秋)など多数。

NHK出版新書 664

ポスト・ヒューマニズム
テクノロジー時代の哲学入門

2021年10月10日 第1刷発行

著者 岡本裕一朗
発行者 土井成紀
発行所 NHK出版
〒150-8081 東京都渋谷区宇田川町41-1
電話 (0570) 009-321(問い合わせ) (0570) 000-321(注文)
https://www.nhk-book.co.jp (ホームページ)
振替 00110-1-49701

ブックデザイン albireo
印刷 壮光舎印刷・近代美術
製本 二葉製本

Printed in Japan ISBN978-4-14-088664-9 C0210